佇立在一片比人還高的紅高粱田裡的莫言。他也在《紅高粱家族》裡創造出一個輝煌瑰麗的世界。

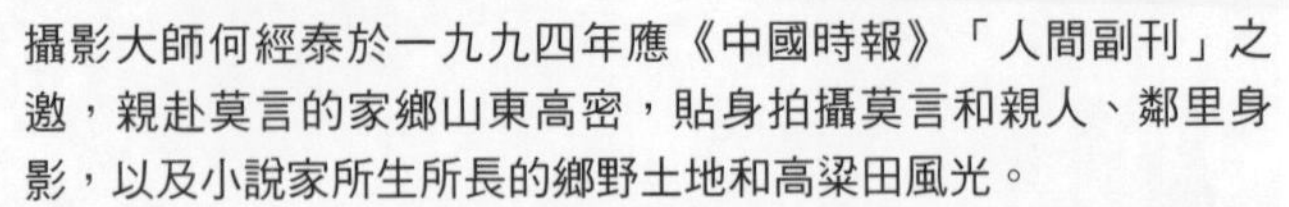

莫言與高密老家地景——文學現場

攝影大師何經泰於一九九四年應《中國時報》「人間副刊」之邀，親赴莫言的家鄉山東高密，貼身拍攝莫言和親人、鄰里身影，以及小說家所生所長的鄉野土地和高粱田風光。
二〇一二年十月，莫言獲頒諾貝爾文學獎，聯合文學編輯部徵得何經泰同意，將當年這一輯珍貴照片獨家收錄書中，讓讀者們可以在閱讀這些短篇小說的同時，透過大師的鏡頭，親眼看見那塊莫言筆下「深深愛著又深深恨著的黑土地」。
這，就是文學的現場。

我想把根扎在故鄉那片黑土裡。那片黑土對庄稼的種子來說是貧瘠的，對感情的種子來說是肥沃的。那片黑土從有人類文化時就存在著，在人類文化不滅亡時它也不滅亡。在那片黑土上已經埋葬了多少肉體和思想，當然還在繁衍著肉體和思想。這是一條源遠流長的黑土的河流，每一個波浪裡都有豐富的營養，我自然要拚命汲取，拚命生長。

埋葬在黑土裡，也是一種幸福。

——莫言

莫言出生在山東高密一個農民家庭，嚴厲的父親曾經對他最親暱的稱呼便是「小牛犢子」。

▲ 扶著老母親的莫言，在一旁是莫言筆下「極其嚴厲、方正」的父親。
▼ 莫言和母親坐在家中的客廳。

一九九四年，當時莫言正和妻子悠閒地走在家鄉的田埂上。

莫言和親人、鄰里們話家常。

莫言和高密當地的親友們。

莫言佇立在老家門口。

傳奇莫言

◉莫言／著

聯合文叢
546

目次

以情節主宰一切的

——說說「莫言高密東北鄉」的「小說背景」

◉張大春

直到我下筆爲莫言最新的這一系列作品寫一點評述文字爲止，我還不知道「這一系列」是不是有什麼總的名目？如果純粹從地緣關係來說，我們可以姑且稱之爲「高密東北鄉系列」，猶如李銳的「呂梁山系列」或李永平的「吉陵鎮系列」。但是這樣做似乎無助於我們去瞭解莫言在一九九一年夏、秋之交一鼓作氣完成的這些篇文字的非地理性特色何在——相反地，我們還可能像論述哈代或福克納一樣，將之編入鄉土作品(Local Color Writing)或地區小說(Regional Novel)，至少英格蘭西南部的鄉村和美國南方的風土都是極易從哈代和福克納的筆下「呈現」出來並堪稱特色的。然而，莫言的「高密東北鄉」彷彿在某種極其強勁的力量作用之下掩失了它作爲一「鄉土」或「地區」的可能，「高密東北鄉」似乎不是一個相當容易辨識的地方。

與《紅高粱家族》或《爆炸》比起來，這一系列的作品不祇篇幅精簡，也大量捨棄了莫言向來所擅長的細節性描述。熟悉《爆炸》中花了八百字描寫「一巴掌打在臉上」的讀者可能會覺得訝異：那個「精雕細琢的莫言」到哪裡去了？事實上這個疑問大概正好拿來解釋我在前一段文字裡所提到的「某種極其強勁的力量」——莫言刻意剝落諸般他原可以大顯身手的細節性描述，出之以大筆劈皴，其作用正在於掩失「高密東北鄉」被人辨識成一個客觀世界裡實存的「鄉土」或「地區」。也惟其在剝落了諸般擬聲描景的細膩筆觸之際，那渲染得跡近潦草的敍述才得以快速推動情節，使每一則披覆著神秘、荒誕色彩的故事不致淪爲某鄉某土之寫照，而成爲具有象徵趣味的傳奇。換言之：莫言一反故我的技術表現可以說讓「高密東北鄉」在面目模糊的情況下擺脫了「地理性特色」的束縛。另一方面——毋寧以爲更重要的；是莫言示範了傳奇志怪之類作品以情節主宰並彰顯一切的手法。

處理這一系列的作品時，莫言似乎有意讓他的讀者放棄種種世故的小說閱讀習慣，而回到一個非常原始的狀態——也就是不停地追問：「後來怎麼了？」就像許多通俗作品（如：愛情小說、偵探小說、武俠小說等等）也是這樣做的。不過莫言的讀者「追問」的方式很可能與那些通俗作品的讀者「追問」的方式不同；因爲後者畢竟還有一個稍可（或很可）掌握的方向，比方說：愛情小說的讀者至少在大體上會想知道：「男女主角終成眷屬了沒有？」或「男女主角歷經什麼樣的波折才終成眷屬？」偵探小說的讀者至少在大體上會想知道：「是誰殺了被害人？」或「用什麼方法殺的？」而武俠小說的讀者至少在大體上也會想知道：「那俠客得到武功秘笈、學成報仇了嗎？」或「他用什麼方法擊倒武林大魔頭？」諸如此類。

正由於莫言的「高密東北鄉系列」缺少讓讀者明確辨識其類型何屬的認知基礎，讀者「追問後來怎麼了」的行爲就不會落入那種類型化了的庸俗模式。舉個例子來說：〈翱翔〉這一篇裡，美麗的新娘燕燕換嫁給「四十歲了、一臉大麻子」的老光棍洪喜，因爲洪喜把自己的妹妹嫁給燕燕的啞巴哥哥。當洪喜的娘對兒子說：「喜，我看著這媳婦神氣不對，你要提防著點，別讓她跑了。」的時候，讀者即使得到足夠的暗示，感受到這樁無奈的婚姻可能會釀成悲劇（如『私奔』？），但是莫言並沒有讓這個「神氣不對」的美麗村姑變成「醜漢配嬌娘」一類俗套故事中「跟人跑了」的妻子；換言之：當讀者因「神氣不對」、「別讓她跑了」的預警而略以爲燕燕會像愛瑪．包法利、康妮．查泰萊或潘金蓮一樣的讀者卻在燕燕「像一隻美麗的大蝴蝶，嬝嬝娜娜地飛出了包圍圈」時，摧毀了原先那個「追問後來怎麼了」的庸俗模式。始於「錯嫁」，成於「情奔」的老套子一旦撲空，讀者才有機會從燕燕那不可思議的飛行中體悟莫言所說的不祇是「逃婚」故事，卻可能是悖離整個鄉土和傳統的稚弱渴望，以及此一渴望終於被扼殺的悲情。

我之所以不憚辭費地說明這一點，其實是要申論：某些現代小說批評家的觀點——如福斯特(Edward Morgan Foster)在《小說面面觀》裡所強調的：「啓發小說動力的是人物而非情節」；宜乎大有商榷的餘地。這一類的論點彷彿試圖營造一個「小說以人物爲中心」的假說，在這一假說之下，不能反映或暴露「人物性格的複雜性」或「具有複雜性格的人物」的情節便被推移到次要的地位。然而，這樣的論點質諸所謂「寫實小說」或則有其適用性，質諸志怪、傳奇則往往難有用武之地，設若因此而發出詰難——如：論者大可以指控「洪喜」、「燕燕」等是「扁平人物」（Flat Character）；卻已然忽略了更重要也更基本的一點：以情節爲中心的小說（也就是前文中所謂『讓情節主宰和彰顯一切』的小說）根本不必在乎「現實中的人性」或「人性的現實」有多麼複雜，它也不意圖在虛構的體制中捏塑（或曰：『捏造』）一些「類似眞實」的人物，它祇是要讓讀者回到那個非常原始的、「追問後來怎麼了」的狀態中，經歷一連串懸疑、驚奇、滿足和顚覆——我勉強稱這四者爲「4S」(Suspense, Surprise, Satisfaction,Subversion)；值得注意的是：倘若在這四者之中，僅僅完成了前面的三者，那麼「以情節爲中心的小說」就極可能遁人類型化的庸俗模式，而大多數通俗小說的讀者也就在這種模式的餵哺之下習焉而不察地反芻其本然之淺薄品味。然而——容我再岔到另一個枝節上；不祇是愛情小說、偵探小說、武俠小說等類型特色明顯的作品容有

「庸俗之可能」，當一個讀者無法從作品中得到「顛覆其預期的情節」時，即使是許多冠以「社會寫實」、「鄉土寫實」之名的作品亦且不免於同樣遁入類型化的庸俗模式。比方說：七〇年代中期以後，一些被冠以「鄉土寫實」之名的作家筆下出現了大量以自殺（或跡近自殺）來抗議社會黑暗的角色，到了九〇年代初，我還在許多校園或媒體文學獎的角逐作品中發現成群結隊的「鄉俚世界卑微小人物」用自殺表示對政治、社會的絕望。

莫言在這一系列以情節主宰並彰顯一切的作品裡，幾乎沒有一篇刻意著墨於「人物的內在世界的鋪陳」，〈神嫖〉裡的季範先生可謂「盡得名士風流」了，〈良醫〉裡的神醫「野先生」陳抱缺可謂「仙風道骨、羽化登極」了，〈辮子〉裡的郭月英可謂「顛狂可怖、令人髮指」了，〈天才〉和〈地震〉裡的蔣大志可謂「愚頑可笑、令人捧腹」了，可是莫言始終沒有讓他的讀者瞭解：這些人物的怪誕行爲與活動究竟基於什麼樣的背景？緣於什麼樣的遭遇？有些什麼樣的來歷？以及有些什麼樣的反省？在這裡，我們不能逆果爲因、還就敍述表現地說：「那是由於莫言選擇的敍事觀點之限制使然。」毋寧以爲應該反過來探詢：在人物塑造(Characterization)這件事上，莫言是否根本無意於「塑造（或曰：『揑造』）一些形象豐滿的、『類似眞實』的、『圓形』的（福斯特所聲稱的Round Character）人物」？莫言曾經在《紅高粱家族》中爲我們作過這種人物塑造的精彩示範，但是爲什麼在這個系列的作品裡，莫言卻讓那些表面上異乎常人的角色的內在顯得如此神祕？

我們從而可以隱隱然發現一個微妙的張力關係——「情節／人物」二者互相對立、彼此消長的關係。在篇幅浩瀚、卷帙龐多的大部頭鉅作中（如《紅樓夢》、《戰爭與和平》或《人間喜劇》），我們很難考察出「情節／人物」之間互爭篇幅的局面——更激進一點地說：倘若有一部毫無篇幅（出版）限制的作品，它總可以有更豐富的餘裕使有限的「情節／人物」相互融合得更完整；問題在於另一方面：以有限的篇幅，既要容納首尾俱全的情節，又要容納表理透徹的人物，其間自然有相當的牴牾。現在問題來了：莫言爲什麼不讓這一系列的作品容有較長的篇幅？

一個最直接的答案是：一九九一年六月間我在新加坡向莫言邀約這批稿件時

曾經言明每一單篇作品宜於報刊發表的長度約在四至六千字。這個看似無關作品意義之宏旨的背景其實可能爲擅長「精雕細琢」的莫言帶來些許困擾——至少他在允諾了篇幅限制的條件之下必須爲「情節／人物」之間「寸字必爭」的角力另闢一蹊徑。於是這個「高密東北鄉系列」之作不得不一反莫言之故我，幾乎每一篇都以迫不及待的手法將情節推至每一故事的終局。（細心的讀者甚至不難發現：〈天才〉和〈地震〉之所以可分可合，正因爲這個故事的諸般情節難以在單篇的篇幅之內盡述，是以不得不從『摘瓜』處一切爲二，也正由於這一切爲二，這兩篇就各自容有較多的筆墨處理人物了。）

像「篇幅限制」這一類被傳統批評家視如毫末的瑣事其實未必全然沒有意義；作家卻往往在接受某些客觀條件的挑戰時不期而然地改變了某些舊有的（固有的）書寫習慣，甚或可能因之而導致風格之變化，亦未可知。

就拿情節推進這一點來說罷：在這七篇作品中，除了〈辮子〉一文的首段中運用了一個倒敘的手法（胡洪波膝上擺著余甜甜的辮子，陷入他婚姻漸入僵局困境的回憶，並帶領讀者經歷他和妻子郭月英二人對平庸生活的陷溺恐懼）之外，其餘各篇無一例外地都是順時性展開的情節。與《紅高粱家族》和《爆炸》等作品中俯拾即是的、曼衍恣肆的揷敍、補敍、倒敍等交錯運用比較起來，論者未必可以掉以輕心地斷言：前者失之於簡單、呆板。相對地，這才確乎是莫言匠心獨運之處——正因莫言這個系列的各篇作品有意讓讀者(如前文所述)「放棄種種世故的小說閱讀習慣」，「回到一個不停地追問：『後來怎麼了？』的原始狀態」，是以種種晚近一個世紀以來現代小說家熟極而流的複雜手法反而變成一種無謂且累贅的負擔；莫言既無意弄巧成拙，適且足以寓巧於拙，從而讓這些作品的情節推進也回復到「從前……後來……再後來」的素樸原始狀態了。

一個親切的讀者可能願意對這種以情節主宰一切的作品瞭解得更多一些；比方說：這些看似各自獨立、卻又隱隱然互成機杼的故事除了不時會「浮現」出一個穿梭於「高密東北鄉」各個角落之間的敍述者「我」及其家人（如『爺爺漢三』）之外，似乎還有某種共同的特質。至少，任何一個未經嚴格學術訓練的讀者都能毫不費力地發現：這個系列的每一篇作品中都透溢著超自然故事(Supernatural Story)的氣息。

從一個比較寬泛的角度去認識超自然故事，我們可以把中國自魏晉以來的志怪、傳奇（包括數量龐大的、以果報徵應等宗教目的爲依歸的道德勸喻在內）到清代的《聊齋誌異》或《閱微草堂筆記》等都牢籠在內。正由於「超自然故事」是一個意涵豐富的術語——其彈性可以大到將《一千零一夜》、《紅字》、《碧盧冤孽》甚或《百年的孤寂》中俯拾即是的鬼魂、奇蹟和靈異的片段都含括其間；是以這個字眼也幾乎喪失了它最低程度的準確性。不過，一位古巴作家阿萊霍·卡本提爾(Alejo Carpentier, 1904-1980)在揭櫫拉丁美洲魔幻寫實主義作品的美學信條時所說的話語給了我們一個親即瞭解的機會：「祇有神奇的事物才是美的。」

這個美學信條事實上不應祇被視爲「拉丁美洲大陸作家」所固有的態度——否則我們祇好承認《百年的孤寂》到《紅高粱家族》之間有一種「移植」的、「承繼」的歷時性關係；毋寧以爲任何一位創製超自然故事的作家都有可能抱持著一個「以神奇爲美」的態度去認識和詮解這個世界，這個態度在某種意義上是要把「歷史現實」淬取成「志怪傳奇」。相對地，也要把「志怪傳奇」編納成「歷史現實」的一部分。於是，以喚起讀者「追問後來怎麼了」的反應爲能事的故事——也就是以情節主宰一切的故事；有了並不「素樸原始」的意義。

在〈夜漁〉這個故事裡，莫言於結尾處提到他在新加坡一家大商場中與幼年時撞見鬼魅的經驗裡邂逅的美麗女妖「重逢」；一個不知道莫言在一九九一年六月確實到過新加坡（以及和龍應台、阿盛、朱天心等人一起去大商場逛購一番）的讀者也可以毫不猶豫地接受「爲女兒買衣服」一節爲文中「較可靠的訊息」，此一「較可靠的訊息」之所以摻入重逢女妖的故事之中，目的正是在支持整個撞見鬼魅經驗的正當性。同樣地：〈地震〉故事裡「廣播報導了祕魯發生六級大地震」的一節，也是企圖在國際新聞常識背景的支持下讓「天才」蔣大志的預言依附於似眞似幻的虛實之間，使整個故事的「超自然」氣氛有著「合乎自然」的理據。從這一點上看：「虛／實」、「眞／僞」的辯證未必然像某些批評理論所聲稱的那樣；是一種「對歷史的解構」或「對現實的顛覆」——這種說法祇會將作品推入更深一層撲朔迷離的語障裡去，眞正值得重視的反而是：「超自然故事」的敘述者必須借助於不神奇的現實來支持起最終那一則「祇有神奇的事物才是美的」的美學信條。魔幻寫實主義(Magic Realism)這個沾帶了些許矛盾語意的字眼之所以引起舉世文學家和讀者興趣的關鍵也在乎此：人們總是憑藉著、夾帶著其對現實的信賴去營造神奇敘述的美感經驗。這正也意味著人們對涇渭判然的「歷史現實」和「志怪傳奇」各自喪失了相信的能力，也唯其當兩者相互穿鑿附會之後，敘述的美才有可能。

在這裡，我們似乎可以回到本文開篇時提過的另一個論點：莫言（基於篇幅限制而）省略了大量精雕細琢式的細節性描述，而使得「高密東北鄉」不祇是一個具備地理性特色的場域。這一點實則也悄然受到超自然故事的支持。在〈神嫖〉裡，行徑「詭異絕俗」的季範先生存活在遙遠的「民國初年」，〈良醫〉裡的神醫陳抱缺還在的「那時候」「高密東北鄉總共祇有十多戶人家」。「代遠年湮」的疏隔氛圍顯然是莫言執意塑造而成的。讀者彷彿可以像感受田園詩(Pastoral)詩人喟歎「黃金時代之一去不返」那樣地察覺：莫言往季範先生或陳抱缺這一類具有超自然情性或秉賦的人身上澆鑄的憑弔況味。說得更明白一點：莫言利用「古老的」此一時間上的概念來涵攝「超自然的」此一性質上的概念，二者相互作用，便將「高密東北鄉」的現實擠壓到平凡、粗鄙、不可亦不值得辨識的位置上去了。是以〈良醫〉才會有這樣的一段話：「父親說越到現代，好醫生越少，尤其到了眼下這幾年，好醫生就更少了。日本鬼子來之前，還有幾個好醫生，雖然比不上陳抱缺，但比現在的醫生還是要強，算不上神醫，算良醫。」

在莫言的筆下，遙遠的過去和它那充滿超自然人物及故事的氛圍是頗可揄揚的；相對於此，地理上確然存有的、現實中無甚可觀的「高密東北鄉」便不再是一個值得精雕細琢的「地方」，它祇是一個憑弔某種失落之過往的位置；祇是一個緬懷著「一去不返的黃金時代」（如〈夜漁〉中的『我』所曾經歷的、充滿迷人魅力的童年）的象徵。——〈夜漁〉不正是讓人想起吳爾芙(Thomas Wolfe, 1900-1938)那部自傳性長篇小說《天使望鄉》(*Look Homeward, Angel*, 1929)的一篇作品麼？「我」在少年時代對性的茫昧探索，以及成年之後對童稚時期「宛若驚鴻照影」的追思與慕情，恰恰然吻合了現代田園詩（自然也包括了小說這一體制在內）中的某些特質——誠如馬林奈里(Peter V.Marinelli)論田園詩時所宣稱的：「遙遠的時光取代了遙遠的地方，這乃是田園樂趣的焦點。阿卡底亞的黃金草地已讓位給童年的黃金時刻了。」

更足以讓讀者回味無窮的問題是：當我們面對著一篇篇「促使」我們追問：「後來怎麼了？」的故事時，我們也重返童年，與敘述者莫言一如「驚鴻照影」；而所謂超自然故事云者、魔幻寫實主義云者、現代田園詩云者，都祇能說是莫言這一系列「以情節主宰一切」的作品將我們驅趕出「地理上的高密東北鄉」，也拋棄「類似眞實的圓形人物」之後，我們可資之以辨識那種「素樸原始」的讀小說狀態的方法注脚而已。

——原載一九九二年三月號《聯合文學》

神嫖

民國初年，高密東北鄉出了一個瀟灑人物，姓王，名博，字季範，後人多呼其爲季範先生。

我的老爺爺十五歲時，就在這位季範先生家當小夥計，所以就有很多有關季範先生的軼聞趣事在我們家族中流傳下來。大爺爺對我們講述這些軼聞趣事時神采飛揚，洋溢著一種自豪感，這自然是因爲我的老爺爺給王家當過差。大爺爺每次給我們講季範先生軼事時，開首第一句總是說：你們的老爺爺那時在季範先生家當差……

春光明媚，季範先生要出去春遊，吩咐備馬。馬伕從槽頭上解下那匹胖得像蠟燭一樣的大紅馬，刷洗乾淨，備好鞍韉，牽到大門口拴馬樁旁。季範先生穿著淺藍色竹布長袍、淺藍色竹布長褲，足蹬一雙千層底呢面布鞋，叼著一根象牙菸嘴，款款地出了門。由我的老爺爺伺候著他老人家上了馬。他說走，我的老爺爺便牽著馬繮走。街上人聽說季範先生要春遊，都跑出家門觀看。五里橋下的化子們聽到消息，便飛快地通知了住在關帝廟側草棚裡的化子頭李子虛。我老爺爺牽著大紅馬走到關帝廟前，光著脊梁赤著脚的李子虛便跪在了街當中，攔住了馬頭。

「季範先生開恩吧。」化子頭說。

「什麼事？」季範先生問我的老爺爺。我的老爺爺說：「化子攔路乞討。」

「告訴他老爺身上沒錢。」

「老爺身上沒錢。」我老爺爺大聲說。

「季範先生把身上那件袍子賞小的穿了吧。」

「化子要老爺的袍。」我的老爺爺傳達著。

季範先生說：「這袍子有人喜歡了，我穿著就是罪過，對不對，漢三？」

我老爺爺號叫漢三，聽到東家問，忙說：「對對對。」

於是季範先生便在馬上脫了長袍，一欠屁股抽出來，扔給化子頭李子虛，說：

「不爭氣的東西，怎麼闖的？連件袍子都穿不上。」

「季範先生，小的脚上還沒有鞋。」

於是季範先生又脫下脚上的鞋，扔給化子。

我的老爺爺牽著馬往前走，才到獅子灣畔，又一群化子湧出來。

後來，季範先生只穿一條褲頭騎在膘肥體壯的大紅馬上，搖頭晃腦，嘴裡念念有詞，在城東的槐樹林子裡走。他穿衣戴帽時，顯得文質彬彬；脫掉衣服後，露出一身瘦骨頭，坐在馬背上，活像隻猴子。成群結隊的孩子跟在馬腚後，嘻嘻哈哈看熱鬧。季範先生不聞不問，半瞇著眼，手捋著下巴上那撮黑鬍鬚，怡然自得。大爺爺說我老爺爺知道季範先生的脾氣，便牽著馬，專揀樹林子茂密的地方走，不一會兒便甩掉了那些胡鬧的娃娃。槐葉碧綠，淹沒在槐花裡，城東的槐樹林子有幾十畝地大小，槐花盛開，像一片海。槐花有兩種顏色，一雪白，二粉紅。千枝萬朵，團團簇簇，擁擁擠擠。成群結隊的蜜蜂嚶嚶地飛著，在花朵上忙碌。城裡養蜂人家的蜜幾天就要割一次，淺綠色的槐花蜜，只要十幾個制錢一斤。老爺爺牽著馱著季範先生的大紅馬，擠進槐花裡，走不快，只能一步半步地捱。沉悶的花香熏得人昏昏欲睡。紅馬邊走邊尖著嘴巴揪花叢中那些尚未完全放開的小小的槐葉吃。老爺爺那時矮小，頭頂與馬腿平齊。他走動在樹幹間，行動比較自由。馬肚子以上的部分他看不完全。季範先生移動在槐花裡，像飄浮在白雲中。老爺爺從花的縫隙裡看到季範先生嘴角叼著一隻槐花，一臉的傻相。大爺爺說每年槐花開的季節，老爺爺與季範先生都要在槐林裡遊蕩好幾天，有時候夜間也不回去。家裡人都知道季範先生怪癖，無人敢勸；又知道季範先生樂善好施，人緣極好，也不擔心他遭匪。

老爺爺說月亮上來後，花香更濃，一縷縷的清風把香氣的幕帳掀起一條縫，隨即合攏後香氣更濃。銀色的光灑在槐花上，那些槐花就活靈活顯地活動起來，像億萬的蝴蝶在抖動翅羽，在求偶交配。花在月光下長，像雲在膨脹，這裡凸出來，那裡凹進去，一刻也不停頓地變幻，像夢一樣。紅馬的皮毛在槐花稀疏的地方偶一閃現，更像寶物出了土，放出耀眼的光來。蜜蜂搶花期，趁著月光採花粉。星星點點地飛行著，像一些小金星。老爺爺說也有四川、河南來放蜂的，在樹林子中間尋個空隙撐起帳篷，夜晚在竹竿梢上掛一盞玻璃燈，閃閃爍爍，像鬼火一樣。人間的煙火味兒一出現，大爺爺說我們的老爺爺便趕緊拉馬避開，否則季範先生就要發脾氣了。後半夜，稀薄的涼露下來，花瓣兒更亮。從樹縫裡看到天高月小，滿地上都是被槐樹花葉過濾了的銀點子。

老爺爺說季範先生身上被槐針劃出一些血道。遊幾天槐花海，他癡迷好幾天，說是「花醉」。

大爺爺說天地萬物，都有靈有性，有異質的高人，能與萬物相通。毫無疑問，季範先生就是那樣的高人了。

老爺爺說季範先生家常年養著四個裁縫，一個製冬衣，一個製夏衣，一個製春秋衣，一個專門製鞋襪。四個裁縫不停地製做，季範先生還是缺衣穿。大爺爺說季範先生的時代裡，高密城裡穿著最漂亮的，往往是化子。這傳統至今未絕，外縣來的化子總是破衣襤衫招狗咬，高密縣出去的化子抽血賣也要製套新衣穿上，像走親戚一樣，狗見了搖尾巴。人說：有這麼好的衣裳還要那家子飯？化子說：讓季範先生給慣的，成了規矩就不能改。青州、膠州、萊州的人諷刺那些沒錢窮講究的人為：高密化子。有一種現在已被淘汰了的、外皮鮮豔瓤酸苦的瓜就叫「高密化子」。老爺爺說季範先生總是光光鮮鮮出去，赤身露體回來，嚴冬臘月也不例外。

季範先生好賭，從來都是夜裡賭。滿城的頭面人物都來。大廳裡擺開十幾張八仙桌，一桌一局、一摞摞大洋閃著光。在季範先生家賭的人，掉了地上大洋沒有好意思彎腰去撿的。這麼多人賭通宵，總有十塊、八塊的大洋滾落到桌下，這些都歸了伺候茶水的我老爺爺。我老爺爺一離開季範先生就在城裡買房子城外置地，拍出的一摞摞銀大頭，都是在賭桌下撿的。

季範先生從不過問田地裡的事，百分之百的玩主。但他家的長工老來都是撇腿弓腰，給季範先生家幹活累的。老爺爺說有一年打麥場時有一個長工用毛驢往自家偷馱麥子，另一個長工來告狀。季範先生罵道：「傻種，傻種，他用驢馱，你為什麼不用車拉？」那長工一賭氣，果真套上車，拉回家一車麥子。季範先生知道後，說：「這才像個長工樣子。」

季範先生家裡有一個正妻六個姨太太。正妻一臉大麻子，六個姨太太卻都是如花似玉的美人。大爺爺對我們說：「你們的老爺爺說季範先生從來都是自己單屋睡，那些姨太太年輕熬不住，有裹了錢財跟人跑了的，有跟長工私通生了私孩子的，季範先生不管也不問。」那些小私孩大搖大擺地在院子裡跑，見了季範先生就叫爹，季範先生光笑不答應。你們老爺爺說只有麻老婆生那個癡呆兒子才是季範先生的眞種。

大爺爺說，有一年春節，大年初一日，季範先生要嫖。大家都感到驚奇，好像天破了一樣。管家的勸他過過日子再嫖，季範先生說：過了日子就不嫖了。管家說：「這事我不幫你操持。」季範先生叫：

「漢三！」

十七歲的我們的老爺爺應聲道：「漢三在。」

季範先生說：「他們都是些俗人，只好咱爺倆一塊玩了。」

我們的老爺爺問：「老爺是到窰子裡去呢，還是把娘們搬回來？」

季範先生說：「自然是搬回來。」

我們的老爺爺問：「搬『小白羊』還是搬『一見酥』？」

季範先生說：「你給我把高密城裡的婊子全搬來。」

我們的老爺爺吐了吐舌頭，也不好再問。便帶著滿肚子狐疑去搬婊子。

大爺爺說，那時的高密城西部小康河兩岸有兩條煙花胡同，河東那條胡同叫狀元胡同，河西那條叫鯉魚巷。那時的人們把逛窰子叫做「考狀元」、「吃鯉魚」。每條胡同裡都有五、六家窰子，各養著三、五個姑娘。還有一些「半掩門子」，白日經營著一些賣針頭線腦的小店，晚上也摘了店門留客住宿。大爺爺說去窰子裡人形形色色，有泡窰子的老嫖客，也有偷了爹娘的錢前來學藝的半大小子。

老爺爺那時十七歲，像個「學藝」的。大年初一，家家都在祭祀祖先，即便患色癆的老嫖也不來了。高密城裡的窰子過年也放假，婊子們都打扮得花紅柳綠，嗑瓜籽兒，賭銅錢兒，陽光好時也上街，混雜在人群裡看耍。老鴇們也允許婊子們回家去看父母，但十個婊子裡有九個是被父母賣進了火坑的，誰還要回去？那些提大茶壺的、扛權杆的也放假回了家。所以老爺爺一進窰子就被婊子們圍住，搶著要當他的師傅。

老爺爺有沒有拜師傅大爺爺自然不說。大爺爺說我們的老爺爺常常給季範先生牽馬，眼尖的婊子認出他來，笑著說：「這不是季範先生的小催班嗎？你東家閑著那麼多姨娘，下邊都生了銹，還用得著來找我們？」

老爺爺說不是我要找你們，是季範先生要找你們。

老爺爺一句話，把些個婊子們歡喜得七顛八倒，嘰嘰喳喳地說：「這可是破了天荒！季範先生花起錢來像流水一樣，伺候好了他老人家，一年的脂粉錢不發愁了。」

老鴇子說：「大年初一、例假，姑娘們累了一年，就是鋼鑄鐵打的也磨出了火星子，該讓她們歇歇。」

老爺爺道：「季範先生難得動一次凡心，你們別胡塗，過了這個村就沒有這個店了。」

老鴇子堆著笑臉說：「伺候季範先生，俺們也不敢推辭，孩兒們，可別怨為娘的心黑。」

婊子們搶著說：「老娘，能讓季範先生那神仙棒槌杵杵，是孩兒們的福氣。」

老鴇子問我們的老爺爺：「小先生，我這裡有五個姑娘，不知季範先生看中哪一個？」

老爺爺說：「全包，讓她們梳洗打扮起來等來，待會兒轎車子來拉。」

大爺爺說老爺爺辦事幹練，一會兒工夫，就把兩條煙花巷轉了一遍，選定了二十八位婊子，又到大街上雇了十幾輛帶暖帘的轎車子，把那些個婊子，或兩個一車，或三個一車，裝載進去。十幾輛轎車子，十幾匹健騾，十幾個車伕，在縣府前大街上排成一條龍，轟轟隆隆往前滾。看熱鬧的人擁擁擠擠，把街都窄了。轎車伕見了這情景，又拉著這樣的客，格外地長精神，啪啪地挫著鞭梢，嘴裡「得兒——駕兒——」吆喝著，把轎車子趕得風快。那些個婊子，不時地打起轎車的簾子來，對著看熱鬧的人浪笑。有厚臉皮的人喊著：「婊兒們，哪裡去？」婊子們大聲應著：「到季範先生家過年去！」

大爺爺說你的老爺爺騎著大紅馬，把車隊引到季範先生家的大宅院的門前。他吩咐婊子們在外等著，自己進去通報。季範先生聽說搬來二十八個婊子，高興得拍著巴掌說：「極好，極好，二十八宿下凡塵！漢三，你眞是個會辦事的，回頭我重重賞你。快出去，把神仙們請進來。」

大爺爺說季範先生家有一間大客廳，能容下一百人吃酒。神仙會自然就在客廳裡舉行。那時候還沒有電燈，季範先生讓我們的老爺爺去買了幾百根胳膊粗細的大蠟燭，插在客廳的角角落落裡，天沒黑就點燃，弄得客廳裡火光熊熊，油煙縷縷，好像起了火災。季範先生又讓老爺爺差人發出帖子去，請城裡的軍政要人、士紳名流來赴神仙會。季範先生拉回家二十八個婊子的消息傳遍了城裡的角角落落，那些名流要人們正納悶著，不知季範先生要玩什麼花樣，帖子一到，巴不得插翅就飛來。也有心中忌憚這大年初一時日的，怕褻瀆了列祖列宗，又一想人家季範先生敢做東，我們還不敢做客嗎？於是有請必到。

當天夜晚，季範先生家大客廳裡，燭火通明，名流薈萃，二十八個婊子忸怩作態，淫語浪詞，把盞行令，搞得滿廳的男人們都七顛八倒，醜態畢露，早把祖宗神靈忘到爪哇國裡去。夜漸深了，燭火愈加明晃了起來，婊子們酒都上了臉，一個個面若桃花，目迷神蕩，巴巴地望著風流倜儻的季範先生。有性急的就膩上身來，扳脖子摟腰。季範先生讓我的老爺爺遍剪了燭花，又差下人們在客廳正中鋪了幾塊大毯子。

季範先生吩咐眾婊子：「姑娘們，脫光了衣服，到毯子上躺著。」

二十八個婊子嘻嘻地笑著，把身上那些綾羅綢緞褪下來。赤裸裸的二十八條身子，排著一隊，四仰八叉在毯子上，等著季範先生這隻老蜜蜂。

在那個漫長的冬夜裡，我們圍著一爐火，聽大爺爺給我們講季範先生軼事。

「他是不是有神經病？」我問。

「胡說，胡說，」大爺爺道，「聽你們老爺爺說，季範先生是個天資極高的人，諸子百家、兵農卜醫、天文地理、數學珠算，沒有他不通曉的，這樣的人怎麼會是神經病。」

「他不是神經病，爲什麼要幹那些稀奇古怪的事？」

大爺爺道：「季範先生是從書堆裡鑽出來的人，把宇宙間的道理都想透徹了。什麼叫聖賢？季範先生就是聖賢。」

其實關於季範先生的軼聞趣事我們已經耳熟能詳了，但我們還是興致勃勃地引導著大爺爺往下講。

「大爺爺，您講講季範先生點化我們老爺爺的事吧。」我的二哥問。

已經有些疲倦了的大爺爺眼睛又明亮起來。他說：「你們老爺爺二十歲那年，有一天陪著季範先生在街上走。季範先生說：『漢三，你已經二十了，該離開我自己去打江山了。』你老爺爺眼淚汪汪地說：『讓我再跟你幾年吧。』季範先生說：『盛宴必散。』他們走到一棵大槐樹下，看到兩群螞蟻在爭奪一條青蟲子，你拖過來，我拖回去。季範先生說：『漢三，你明白了沒有？』你們老爺爺搖著頭說不明白。季範先生抬起一隻脚，踩在那些螞蟻上輾了輾，又問：『漢三，明白了沒有？』你們老爺爺說明白了。季範先生說：『罷了，你其實不明白，不明白就是明白了。』」

「我們的老爺爺果真不明白季範先生的暗示嗎？」我問。

大爺爺答非所問地說：「人要明白事理，非念書不可，非把天下的書念遍不可。你們，還早著哩。」

我的二哥又問：「大爺爺，您眞的見過季範先生讀書過目不忘？」

大爺爺說：「這還能假嘛！那時咱家還沒敗落，住在城裡。有一天，我正在念一本《尺牘必讀》，你們老爺爺領著季範先生來了。季範先生問我看什麼書，我把書遞給他。他接過去，翻了翻，還給我。我說：『爺，聽俺爹說您看書過目不忘？』季範先生笑笑說：『你想考考我？』我不好意思地笑了。他把那本《尺牘必讀》要過去，一頁頁翻看，完了，把書還給我，說：『你看著書，我背給你聽。』我看著書，他背一字一句也不差，連個結巴也不打。你們老爺爺罵我：『斗膽的小東西，還不跪下給你爺爺磕頭！』我慌忙跪下，季範先生把我架起來，哈哈笑著說：『老了，腦子不靈了。』」

我們齊聲感嘆著：「天才，眞是天才！」

每次聽完這一段，我們都是這樣說。

大爺爺從來不給我們講完季範先生嫖妓的故事，總是講到那緊要處便打住話頭，我們也從不追問，其實那後邊的情形我們都知道：二十八個婊子脫光衣服並排著躺在毯子上，那些士紳名流都傻了，怔怔地看著季範先生。我們的老爺爺說季範先生脫掉鞋襪，赤脚踩著二十八個婊子的肚皮走了一個來回。然後季範先生說：「漢三，給她們每人一百塊大洋；叫車子，送她們回去。」

良醫

那時候高密東北鄉總共只有十幾戶人家，緊靠著河堤的高坡上、建造著十幾棟房屋，就是所謂的「三份村」了。村名「三份」，自然有很多講說，但本篇要講治病求醫的事，就不解釋村名了。

卻說我們這「三份村」裡，有一個善良敦厚的農民，名叫王大成。王大成的老婆沒有生養，老兩口子過活。這年秋天，雨水很大，河堤決了口。田野裡一片汪洋，穀子、豆子什麼的，都澇死了，只有高粱，在水裡擎著頭，挑著一些稀疏的紅米。過了中秋節，洪水漸漸消褪，露出了地皮。黑土地上，淤了一層二指厚的黃泥，這黃泥極肥，最長麥子。雖然秋季幾乎絕了產，但村裡人也不十分難過，因爲明年春季如果不碰上風、雹、丹、銹，麥子就會大豐收。那時候人少地多，廣種薄收，種地比現在省事得多了。種麥子更簡單：一個人背著麥種，倒退著在泥地裡走，隨手把麥種撒在脚窩裡，後邊跟著一個人，手持一柄二齒鐵勾子，挖一點地，把麥種蓋住即可。王大成和他老婆一起去窪地裡種麥子。他老婆踩窩撒種，大成跟在後邊抓土埋種。他老婆自然是小脚，踩出來的脚窩圓圓的。好像驢蹄印一樣。大成和老婆開玩笑，說她是匹小母驢；他老婆說他是匹大叫驢。兩口子說笑著，心裡很是愉快。然而世界上的事，總是禍福相連、悲喜交集，所謂「樂極生悲」就是這道理。大成和老婆正調笑著，忽覺著腳底一陣刺痛，彷彿被什麼東西扎了一下。莊戶人家，一年總有八個月打赤腳，腳上挨下扎，是十分正常、經常發生的事情，所以大成也沒在意，繼續與老婆一起點種小麥。晚上洗了腳上炕，感到腳底有點癢，扳起來看看，見腳心正中，有一個針鼻大的小孔，正在淌著黃水。大成讓老婆弄來一點燒酒，倒在傷口上，便倒頭睡了。因爲白日裡與老婆調笑時埋下了一些情欲的種子，夜晚又被她扳著腳塗酒吹氣，吹燈之後，便親熱了一番。臨近天亮時，大成做了一個夢，夢見自己把一條腿伸到灶下，點火燃著，煮得鍋裡的綠豆湯翻浪頭。醒來後，感到一條腿滾燙。忙叫老婆打火點燈，借著燈光一看，那條腿已腫到膝蓋，腫得明光光的，好像皮肉裡充滿氣，充滿了汁液。

天亮之後，不能下地了，老婆要去「黑天愁村」搬先生，大成說：「我自己慢慢悠逛著去吧。」「黑天愁」距「三份」三里路，三里路的兩邊，都是一個連一個的水窪子。大成的腿不痛，只是腫脹得有些不便，一拖一拖地挪到「黑天愁」，見到先生。先生名叫陳抱缺，專習中醫外科，用藥狠、手段野，有人送他外號「野先生」，大成去時，「野先生」還在睡覺。大成坐在門口，抽著菸袋等候，一直等到日上三竿，「野先生」起床。大成進去，說請先生給瞧瞧腿。「野先生」皺皺眉頭，伸出三個指頭搭了搭大成的脈，說：「回家去吧，讓你老婆弄點好吃的你吃。把送老的衣裳也準備準備。」大成問：「先生的意思是說我不中了？」「野先生」說：「活不過三天了。」大成一聽，心裡很有些難過，但既然先生這麼說了，也只好回家等死。當下辭別了先生，長吁短嘆地往家裡走。看到道路兩邊一汪汪的綠水和水中嫩黃的浮萍、鮮紅的水荇，心裡不由地一陣難受，眼中滾出了一些大淚珠子。心想與其病發而死，不如跳進水汪子淹死算了。邊想著邊走到水汪子邊。水汪子邊上有一些及膝高的野草，他一腳踏下去，忽聽到下邊幾聲尖叫，同時那傷腳上、腿上感到麻酥酥一陣，低頭一看，原來踩中了兩隻正在交尾的刺蝟，大成的腿上被刺蝟毛扎破的地方，嘩嘩地淌出黃水來。腿淌著黃水，堵悶的心裡，立時輕鬆了許多。於是也就不想死了。他把腿伸到水裡泡著，一直等到黃水流光了，才上了路回家。回家睡了一夜，早晨起來一看，腿上的腫完全消了。三天之後，健康如初的大成去見「野先生」，走在路上想了一肚子俏皮話兒，想羞羞他。一進門，「野先生」劈口便問：「你怎麼還沒死？」

大成把腿伸給「野先生」看著，說：「我回到家就等著死，等了三天也不死，特意來找先生問問。」

「野先生」說：「天下眞有這麼巧的事？」

大成問：「什麼事？」

「野先生」說：「你的脚是被正在交尾時被刺蝟咬死的那條雄蛇的刺扎了，夜裡你又沾了女人，一股淫毒攻進了心腎；治這病除非能找到一對正在交尾的刺蝟，用雄刺蝟的刺扎出你腿上的黃水，然後再把腿放到浮萍水荇水裡泡半個時辰，這才有救。」

大成愕然，說先生眞是神醫，便把那天下午的遭遇說了一遍。

「野先生」道：「這是你命不該絕，要知道刺蝟都是春天交尾啊。」

父親說，像陳抱缺這樣的醫生，其實都是做宰相的材料，只因爲各種各樣的原因牽扯著，做不成宰相，便改道習了醫。這種人都是聖人，參透了天地萬物變化的道理，讀遍了古今聖賢文章，幾百年間也出不了幾個。這樣的人最後都像功德圓滿的大和尚一樣，無疾而終，看起來是死了，其實是成了仙。父親說陳抱缺一輩子沒有結婚，晚年時下巴上長著一把白鬍子，面孔紅潤，雙目炯炯有神。每天早晨，他都到井台上去挑水。那時候的年輕人還講究忠孝仁義，知道尊敬老人，見他打水吃力，便幫他把水從井裡提上來，他也不阻攔，也不道謝，只等那幫他提水的人走了，便搬倒水桶，把水倒回井裡去，然後自己打水上來，挑水回家。

父親說越到現代，好醫生越少，尤其到了眼下這幾年，好醫生就更少了。日本鬼子來之前，還有幾個好醫生，雖然比不上陳抱缺，但比現在的醫生還是要強，算不上神醫，算良醫。

父親說我的爺爺三十幾歲時，得過一次惡症候，那病要是生在現在，花上五千塊，也要落下殘疾。

父親說有一天爺爺正在廂房裡彎著腰刨木頭，我的三叔跟我的二叔嬉鬧，把一塊木頭弄倒，正砸在我爺爺的尾骨上，痛得他就地蹦了一個高，出了一身冷汗。當天夜裡，腿痛得就上不到炕上去了。後來，痛疼集中到右腿上，看看那條腿，也不紅，也不腫，但奇痛難捱，日夜呻喚。

我的大爺爺也是一個鄉村醫生，開了無數的藥方，抓藥煎給我爺爺吃，但痛疼日甚，大爺爺托人把他的一位懂點外科的李一把搬來。李摸了摸脈，說是「走馬黃」，讓抓一隻黃雞來，放在爺爺的病腿上。李說如果是「走馬黃」，它便會跑走。抓來一隻黃雞，放在爺爺病腿上，果然咕咕地叫著，靜臥不動，直臥了一個時辰。李說這雞已經把毒吸走了。李又用蝎子、蜈蚣、蜂窩等毒物，製成一種黑色的大藥丸子。此藥名叫「攥藥」，由患者雙手攥住。李說此藥的功效是逼走包圍心臟的毒液。爺爺腿上臥過黃雞，手裡攥過藥丸，但病情卻日漸沉重，眼見著就不中了。大爺爺眼含著淚吩咐我奶奶爲我爺爺準備後事。這時，一個人稱「五亂子」的土匪來了。這「五亂子」橫行高密東北鄉，無人不怕他。他因曾得到過我爺爺的恩惠，聽到我爺爺病重，特來看望。

父親說「五亂子」是個有決斷的人，他看了爺爺的病，說：「怎麼不去請『大咬人』呢？」

大爺爺說：「『大咬人』難請，他不治經別人的手治過的病。」

「五亂子」說：「我去請吧。」

父親說：「五亂子」轉身就走了，第二天就用一乘四人轎把「大咬人」抬來了——「大咬人」出診必坐四人轎。父親說「大咬人」是個高大肥胖的老頭子，身穿黑色山繭綢褲褂，頭戴一頂紅絨子小帽。鑽出轎來，先要大菸抽。「五亂子」吩咐人弄來菸槍、豆油燈，搓了幾個泡燒上，讓他過足了癮。

抽完了菸，過足了癮，「大咬人」紅光滿面。「五亂子」一掀衣襟，抽出一支匣槍——腰裡還有一支——甩手一槍，把房檐下一隻正在結網的蜘蛛打飛了。然後他用青煙嫋嫋的槍筒子戳著「大咬人」的太陽穴，說：「『大咬人』，要坐轎，我雇了轎；要抽大菸，我借來了燈；要錢嚒，我也替你準備好了。這位管二，是我的救命恩人，你仔細著點治——你咬人，能咬動槍筒子嗎？」

父親說「大咬人」給嚇得臉色煞白，連聲說：「差不了，差不了。」

「大咬人」彎著腰察看爺爺的病情，看了一會，說：「這是個貼骨惡疽，再拖幾天，我就治不了了。」

「五亂子」說：「你有把握？」

「大咬人」說：「有把握。」

父親說「大咬人」用手指戳著爺爺的腿說：「裡邊都是膿血，要排膿。」

「五亂子」說：「你放心幹吧！」

「大咬人」吩咐人找來一根鐵條，磨成一個尖，又吩咐人剪來一把中空的麥稈草。然後，他挽挽袖子，用鐵條往爺爺的腿上捅孔，捅一個孔，戳進一根麥草去。綠色的惡臭膿血嘩嘩地流出來。父親說爺爺的大腿根處流出的膿血最多，足有一銅盆。排完了膿血，爺爺的腿細得嚇人，一根骨頭包著皮，那些肉都爛成膿血了。

排完了膿血，「大咬人」開了一個藥方，都是桔梗、連翹之類的極普通的藥。

「大咬人」說：「吃三副藥就好了。」

「五亂子」問：「你要多少大洋？」

「大咬人」說：「爲朋友的恩人治病，我分文不取。」

「五亂子」說：「好，這才像個良醫。不給你錢了，給你點黑貨吧！」

父親說「五亂子」從腰裡掏出拳頭那麼大一塊大菸土。這塊菸土，起碼值五十塊大頭錢。

「大咬人」接了菸土，說：「都叫我『大咬人』，我咬誰了？我小名叫『狗子』，就說我『咬人』。」

「五亂子」笑著說：「你眞是條好狗！」

父親說爺爺吃了「大咬人」三副藥，腿不痛了。又將息了幾個月，便能下地行走；半年後，便恢復如初，挑著幾百斤重的擔子健步如飛了。

父親說，「大咬人」的外科其實還不行，遠遠比不上陳抱缺。陳抱缺能幫人挪病，譬如生在要害的惡瘡，吃他一副藥，便挪到了無關緊要的部位上。父親說，大凡有眞本事的人，都是性情中人，有他們古道熱腸的時候，也有他們見死不救的時候。越是醫術高的人，越信命，越能超脫塵俗。所以，陳抱缺那樣的醫生，是得了道的神仙，是呂洞賓、鐵拐李一路的。像「大咬人」這樣的，要想成仙，還要經過不知多少年的苦修苦練才能成。而一般的醫生，大不過診脈能分出浮、沉、遲、速，用藥能辨別寒熱、溫涼而已，至於陰陽五行、營衛氣血、經絡穴道上的道理，百分之百是參悟不透了。

夜漁

經過很長時間的纏磨，九叔終於答應夜裡帶我去拿蟹子。那是六〇年代中期，每年都澇，出了村莊二里遠，就是一片水澤。

吃過晚飯後，九叔帶我出了村。臨行時母親一再叮嚀我要聽九叔的話，不要亂跑亂動，同時還叮囑九叔好好照顧著我。九叔說：「放心吧嫂子，丟不了我就丟不了他。」母親還遞給我們兩張葱花烙餅，讓我們餓了時吃。我們披著蓑衣、戴著斗笠。我拎著兩條麻袋。九叔提著一盞馬燈，扛著一張鐵鍬。出村不遠，就沒了道路，到處都是稀泥渾水和一棵棵東倒西歪的高粱。幸好我們赤脚光背，不在乎水、泥什麼的。

那晚上月亮很大，不是八月十四就是八月十六。時令自然是中秋了，晚風很涼爽。月光皎潔，照在高粱間的水上，一片片爛銀般放光。吵了一夏天的蛙類正忙著入蟄，所以很安靜。我們拖泥帶水的聲音顯得很大。感到走了很長很長時間，才從高粱地裡站出來。爬上了一道堰埂，九叔說這就是河堤，是下柵子捉蟹的地方。

九叔脫了蓑衣摘了斗笠，又脫掉了腰間那條褲頭，赤裸裸一絲不掛，扛著鐵鍬跳到那條十幾米寬的河溝裡去，鏟起大團的盤結著草根的泥巴截流。河溝裡的水約有半米深、流速緩慢。一會兒工夫九叔就在河水中築起了一條黑色的攔水壩，靠近堰埂這邊，開了一個兩米的口子，插上雙層的高粱秸柵欄。九叔把馬燈掛在柵欄邊上，便拉我坐在燈影之外，等待著拿蟹子。

我問九叔，拿蟹子就這麼簡單嗎？

九叔說你等著看吧，今夜刮的是小西北風，北風響，蟹腳癢，窪地裡蟹子急著到墨水河裡去集合開會，這條河溝是必經之路，只怕到了天亮，捉得蟹子咱用兩條麻袋都盛不下呢。

堰埂上也很潮溼，九叔鋪下一件蓑衣，讓我坐上去。他裸著身體，身上的肉銀光閃閃。我覺得他很威風，便說他很威風。他得意地站起來，伸胳膊踢腿，像個傻呼呼的大孩子。

九叔那年十八歲多一點，還沒娶媳婦。他愛玩又會玩，捕魚捉鳥，偷瓜摸棗，樣樣都在行，我們很願意跟他玩。

折騰了一陣，他穿上那條褲頭，坐在蓑衣上，說，不要出動靜了，蟹子們鬼得很，聽到動靜就趴住不爬了。

我們安靜了，一會兒盯著那盞放射出溫暖的黃色光芒的馬燈，一會兒盯著那個用高粱秸柵欄結成的死城。九叔說只要螃蟹爬到柵欄裡就逃脫不了了，我們下去拿就行了。

河水明晃晃的，幾乎看不出流動，只有被柵欄阻擋起的簇簇小浪花說明水在流動。蟹子還沒出現，我有些著急，便問九叔。他說不要心急，心急喝不了熱粘粥。

後來潮溼的霧氣從地上升騰起來，月亮爬到很高的地方，個頭顯小了些，但光輝更明亮，藍幽幽的，遠遠近近的高粱地裡，霧氣團團簇簇，有時濃有時淡，煞是好看。水邊的草叢中，秋蟲響亮地鳴叫著，有嚁嚁的，有吱吱的，有唧唧的，匯合成一支曲兒。蟲聲使夜晚更顯得寧靜。高粱地裡，還時不時地響起嘩啦啦的蹚水聲，好像有人在大步走動。河面上的霧也是濃淡不一，變幻莫測，銀光閃閃的河水有時被霧遮蓋住，有時又從霧中顯出來。

蟹子們還沒出現，我有些焦急了。九叔也低聲嘟噥著，起身到柵欄邊上去查看。回來後他說：「怪事怪事眞怪事，今夜裡應該是過蟹子的大潮呀。」又說北風響蟹脚癢，蟹子不來出了鬼了。

九叔從河邊的一棵灌木上，摘下一片亮晶晶的樹葉，用雙唇夾著，吹出了一些唧唧啾啾的怪聲。我感到身上很冷，便說：「九叔，你別吹了，俺娘說黑夜吹哨招鬼。」九叔吹著樹葉，回頭看我一眼，他的目光綠幽幽的，好生怪異。我心裡一陣急跳，突然感到九叔十分陌生。我緊縮在蓑衣裡，冷得渾身打戰。

九叔專注地吹著樹葉，身體沐在愈發皎潔的月光裡，宛若用冰雕成的一尊像。我心中暗自納悶：九叔方才還勸我不要出動靜，怕驚嚇了蟹子，怎麼一轉眼自己反倒吹起樹葉來了呢？難道這是一種召喚蟹子的號令？

我壓低嗓門叫他：「九叔，九叔。」他對我的叫喚毫無反應，依然吹著樹葉，唧唧啾啾吱吱，響聲愈發怪異了。慌忙咬了一下手指，十分痛疼，說明不是在夢中。伸出手指去戳了一下九叔的脊背，竟然涼得刺骨，這時，我眞正有些怕了。我尋思著要逃跑，但夜路茫茫，泥湯渾水，高粱遍野，如何能回到家？我後悔跟九叔來捕蟹了。這個吹著樹葉的冰涼男人也許早已不是九叔了，而是一個鰲精魚怪什麼的。想到此，我嚇得頭皮爆炸，我想今夜肯定是活不回去了。

天上不知道何時出現了一朵黃色的、孤零零的雲，月亮恰好鑽了進去。我感到這現象古怪極了，這麼大的天，月亮有的是寬廣的道路好走，爲什麼偏要鑽到那雲團中去呢？

清冷的光輝被阻擋了，河溝、原野都朦朧起來，那盞馬燈的光芒強烈了許多。這時，我突然嗅到一股淡淡的幽香。幽香來自河溝。沿著香味望過去，我看到水面上挺出一支潔白的荷花。它在馬燈的光芒之內，那麼水靈，那麼聖潔，我們家門前池塘裡盛開過許許多多荷花，沒有一支能比得上眼前這一支。

荷花的出現使我忘記了恐懼，使我沉浸在一種從未體驗過的潔白清涼的情緒中。我不知不覺地站起來，脫掉蓑衣，向荷花走去。我的腿浸在溫暖的水中，緩緩流淌的水輕輕撫摸著我的大腿，我感到快要舒服死了。離荷花本來只有幾步路，但走起來卻顯得特別漫長。我與荷花之間的距離彷彿永遠不變，好像我前進一步，它便後退一步。我的心處於一種幸福的麻醉狀態，我並不希望採摘這朵荷花，我希望永遠保持著這種荷花走我也走的狀態，在這種緩慢的、有美麗的目標的追隨中，溫暖河水的撫摸，給了我終生難忘的幸福體驗。

後來，月亮的光輝突然灑滿河道，一瞬間，我看到它顫抖兩下，放射出幾道比閃電還要亮的灼目白光，然後，那些宛若玉貝雕琢成的花瓣紛紛落下。花瓣打在水面上，碎成細小的圓片，旋轉著消逝在光閃閃的河水中。那枝高挑著花瓣的花莖，在花瓣凋落之後，也隨即委靡傾倒，在水面上委蛇幾下，化成了水的波紋……。

我不知不覺中眼睛裡流淌出滾滾的熱淚，心裡充滿甜蜜的憂傷。我心中並無悲痛，僅僅是憂傷。眼前發生的一切，宛若一個美麗的夢境。但我正赤身站在河水中，水淹至我的心臟，我的心臟的每一下跳動都使河水輕輕翻騰，水面上泛起漣漪。荷花雖然消逝了，但清淡的幽香猶存，它在水面上漂漾著，與清冽的月光、淒婉的蟲鳴融爲一體……。

一隻有力的大手抓住我的脖頸把我提出水面，水珠一串串，像小珍珠，從我的胸膛、肚腹、蠶蛹大的小雞雞上，滴溜溜地滾落到水面上。我聽到河水被兩條粗壯的大腿蹚開，發出嘩啦啦的巨響。隨後，我的身體被拋擲起來，在空中翻了一個觔斗，落在蓑衣上。

我想一定是九叔把我從河中提上來的，但定睛一看，九叔端坐在堰上，依然那麼專注癡迷地吹著樹葉，沒有一絲一毫移動過的迹象。

我大叫一聲：「九叔！」

九叔叼著樹葉，回頭看了我一眼，那目光完全是陌生人的目光，並且那目光中還透出了幾分惱惱，好像嫌我打擾了他的吹奏。有了下河追隨荷花的經歷，恐懼竟離我而去，我已不太在乎九叔是人還是鬼，他似乎只是一個引我進入奇境的領路人，目的地到達，他的存在也就失去了意義。這樣想著，他吹奏樹葉的聲音也由鬼氣橫生變得婉轉動聽了。

馬燈的昏黃光芒向我提示，我們是來捉螃蟹的。一低頭，一抬頭，就看到成群結隊的螃蟹沿著高粱秸柵欄往上爬。螃蟹們的個頭很整齊，都有馬蹄般大小，青色的亮蓋，長長的眼睛，高舉著生滿綠毛的大螯，威風又猙獰。我生來就沒見過這麼大、這麼多的螃蟹集中在一起，心裡又興奮又膽怯。戳九叔，九叔不動。我很有些憤怒，螃蟹不來，你著急，螃蟹來了，你吹樹葉，要吹樹葉何必半夜三更跑到這裡來吹？我又一次感到九叔已經不是九叔。

一隻軟綿綿的手摸我的頭顱，抬頭一看，竟是一位面若銀盆的年輕女人。她頭髮很長、很多，鬢角上別著一朵雞蛋那麼大的白色花朵，香氣撲鼻，我辨不出此花是何花。她滿臉都是微笑，額頭正中有一粒黑痦子。她身穿一襲又寬又大的白色長袍，在月光中亭亭玉立，十分好看，跟傳說中的神仙一模一樣。

她用低沉甜美的聲音問我：「小孩，你在這裡幹什麼呀？」

我說：「我在這裡捉螃蟹呀。」

她吃吃地笑起來，說：「這麼小個東西，也知道捉螃蟹？」

我說：「我跟我九叔一塊兒來的，他是我們村裡最會捉螃蟹的人。」

她笑著說：「屁，你九叔是天下最大的笨蛋。」

我說：「你才是笨蛋呢！」

她說：「小東西，我讓你看看我是不是笨蛋。」

她回手從身後拖過一根帶穗的高粱稈，往河溝中的兩道柵欄間一甩，那些青色的大螃蟹就沿著稈兒飛快地爬上來。她把高粱稈的下端插進麻袋，那些螃蟹就一個跟著一個鑽到麻袋裡去了。癟癟的麻袋很快就鼓脹起來，裡邊嘈雜著萬爪抓搔、千嘴吐泡沫的聲音。一隻麻袋眼見著滿了，她從腳前揪下一根草莖，三繞兩繞，把麻袋口縫住了。另一隻麻袋也很快滿了，她又用一根草莖封了口。

「怎麼樣？」她得意地問我。

我說：「你一定是個神仙。」

她搖搖頭，說：「我不是神仙。」

「那你一定是個狐狸。」我肯定地說。

她大笑著說：「我更不是狐狸，狐狸，多醜的東西，瘦臉、長尾、滿身的髒毛，一股子狐臊氣。」她把身體湊上來，說：「你聞聞，我身上有臊氣沒有？」

我的臉籠罩在她的那股濃烈的香氣裡，腦袋有些眩暈。她的衣服摩擦著我的臉，涼涼的、滑滑的，十分舒服。

我想起大人們說過的話：狐狸能變成美女，但尾巴是藏不住的。便說：「你敢讓我摸摸你的屁股嗎？要是沒有尾巴，我才相信你不是狐狸。」

「咦，你這個小東西，想占你姑奶奶的便宜嗎？」她很嚴肅地說。

「怕摸你就是狐狸。」我毫不退讓地說。

「好吧，」她說：「讓你摸，但你的手要老實，輕輕地摸，你要弄痛了我，我就把你摁到河裡灌死。」

她掀起裙子，讓我把手伸進去。她的皮膚滑不留手，兩瓣屁股又大又圓，哪裡有什麼尾巴？

她回過頭來問我：「有尾巴沒有？」

我不好意思地說：「沒有。」

「還說我是狐狸嗎？」

「不說了。」

她用手指在我腦門上戳了一下，說：「你這個又奸又猾的小東西。」

我問：「你既不是狐狸，又不是神仙，那你究竟是什麼？」

她說：「我是人呀。」

我說：「你怎麼會是人呢？那有這麼乾淨、這麼香、這麼有本事的人呢？」

她說：「小東西，告訴你你也不明白。二十五年後，在東南方向的一個大海島上，你我還有一面之交，那時你就明白了。」

她把鬢角上那朵白花摘下來讓我嗅了嗅，又伸出手拍拍我的頭頂，說：「你是個有靈氣的孩子，我送你四句話，你要牢牢記住，日後自有用處：鐮刀斧頭槍，蔥蒜蘿蔔薑。得斷腸時即斷腸，榴槤樹上結檳榔。」她的話還沒說完，我便睡眼朦朧了。

等到我醒來時，已是紅日初升的時候，河水和田野都被輝煌的紅光籠罩著，那一望無際的高粱像靜止不動的血海一樣。這時，我聽到遠遠近近的有很多人在呼喚我的名字。我大聲地答應著。一會兒，我的父母、叔嬸、哥哥嫂嫂們從高粱地裡鑽出來，其中還有我的九叔。他一把抓住我，氣憤地質問我：

「你跑到哪裡去了?!」

據九叔說，我跟隨著他出了村莊，進了高粱地，他摔了一跤，爬起來就找不到我了，馬燈也不見了。他大聲喊叫，沒有回音，他跑回家找我，家裡自然也找不到。全家人都被驚動了，打著燈籠，找了我整整一夜。我說：

「我一直跟你在一起呀。」

「胡說！」九叔道。

「這是兩麻袋什麼？」哥哥問。

「螃蟹。」我說。

九叔撕開縫口的草莖，那些巨大的螃蟹匆匆地爬出來。

「這是你拿的？」九叔驚訝地問我。

我沒有回答。

今年夏天，在新加坡的一家大商場裡，我跟隨著朋友為女兒買衣服，正東挑西揀地走著，猛然間，一陣馨香撲鼻，抬頭看到，從一間試衣室裡，掀簾走出一位少婦。她面若秋月，眉若秋黛，目若朗星，翩翩而出，宛若驚鴻照影。我怔怔地望著她。她對著我嫵媚一笑，轉身消逝在熙熙攘攘的人流裡。她的笑容，好像一支利箭，洞穿了我的胸膛。靠在一根廊柱上，我心跳氣促，頭暈目眩，好久才恢復正常。朋友問我怎麼回事，我心不在焉地搖搖頭，沒有回答。回到旅館後，我突然想起了那個幫我捉螃蟹的女人，掐指一算，時間正是二十五年，而新加坡，也正是一個「東南方向的大海島」。

辮子

胡洪波坐在同心湖南岸那片槐樹林子裡，膝蓋上擺著一條一米多長的烏黑大辮子，滿臉苦相，一支接一支地抽菸。剛剛下過大雨，槐樹林子裡到處都是水，他坐在那件發給幹部們穿著下鄉指揮防汛的軍用雙面塑膠雨衣上，還是感覺到潮氣透上來，搞得雙股很不舒服。

這是個星期六的傍晚。暴雨剛過，玫瑰色的天空上飄著一些杏黃色的雲，倒映在清澈的湖水裡。湖對面那幾十棟紅瓦頂二層小樓被青天綠水映襯著，顯得很美麗。在緊臨著湖邊的那棟樓一層裡，有一個六十平方米的單元，那就是宣傳部副部長胡洪波的家。

胡洪波三十出頭年紀，大專文化程度，筆頭上功夫不錯，人長得清瘦精幹。有相當一部分姑娘喜歡嫁給胡洪波這種類型的男人，而一般地說，嫁給這種男人也總是能過上比較平靜、溫暖、有幾分藝術氣味的生活。這樣的男人在機關裡蹲上個十年八年的，一般地總是能熬成一個不大不小的官兒。這樣的家庭多數會生一個漂漂亮亮的女孩，這女孩一般地總是很聰明、嘴巴很甜、頭上紮著紅綢子。這女孩如果不會撥弄幾下子電子琴，就會畫幾張有模有樣的畫，或是會跳幾個還挺複雜的舞蹈。最低能的也能背幾首唐詩給客人聽，博幾聲喝采。這樣的家庭裡的主婦一般地都還不難看，都很熱情，很整潔、很禮貌，讓人感到很舒服。這樣的女人多數都會炒幾個拿手菜，端到席上向客人誇耀。這樣的女人多數都能喝一兩左右的白酒，在家宴將散時，必定腰繫著白圍裙上席來，以主婦和主廚的雙重身分，向客人們敬酒；這樣的敬酒絕大多數的客人都不好意思拒絕。這樣的女人是湖邊那十幾棟小樓裡的靈魂。總之，這樣的女人、這樣的孩子、這樣的男人，住在一個單元裡，就分泌出一種東西。這東西叫做：幸福。

胡洪波原來是生活在幸福之中的。那時候他的妻子郭月英在新華書店兒童讀物部賣連環畫，雖然是生過孩子數年了的人，可還是留著那條做姑娘時就蓄起來的大辮子。那條大辮子有一米多長，一把粗細，烏黑發亮，成爲郭月英身上最引人注目的特徵。縣城裡的人都知道新華書店有個賣小人書的「郭大辮」。機關裡的人都知道「郭大辮」是宣傳部報導組「胡大主筆」的老婆。說實話郭月英的臉很一般，瘦瘦的，長長的，甚至有幾分尖嘴猴腮，但郭月英的大辮子實在是全城第一分的漂亮。當初談戀愛，每當胡洪波對郭月英的臉蛋兒表現出不滿時，郭月英就從腰後拖過大辮子纏在他的脖子上，三纏兩纏，胡洪波就被纏住了。

郭月英生下一個取名「嬌嬌」的女孩後，家務活兒增加了許多，梳大辮子浪費時間，胡洪波勸她剪成短髮。她瞪著眼、紅著臉說：「你想逃跑？」

胡洪波立即想起新婚之夜裡的情景：郭月英伏在他的身上，用辮子纏著他的脖子，咬著他的耳朵說：「只要我的辮子在，你就別想跑！」

胡洪波指指嬌嬌，說：「有嬌嬌拴著我，你剃成禿瓢兒，我也跑不了了。」

郭月英披散著頭髮，眼睛夾著淚，嘴裡不停地嘟噥著。胡洪波正被一篇稿子弄得心煩，見郭月英糾纏不清，便火起來，拍了一巴掌寫字檯上的玻璃，吼了一句：「神經病！」

郭月英「哇」地哭了一聲，哭聲很大，嚇得胡洪波不由自主地從寫字檯邊蹦起來。他倒不是怕郭月英哭壞了嗓子，而是怕郭月英的哭聲被鄰居聽到，那時胡洪波還是個幹事，樓上住著宣傳部的馬副部長，一個讓胡洪波感到極不舒服的頂頭上司。他急忙跑過去，拍著郭月英的肩膀賠不是。郭月英又是「哇」地一聲，嚇得胡洪波伸手去捂她的嘴。胡洪波一鬆手，她又是「哇」地一聲，好像她的嘴巴是個漏水的管子。就這樣一捂就停，一鬆就「哇」，一會兒工夫，胡洪波就汗水淋漓了。嬌嬌也被驚醒了，手舞足蹈地哭。胡洪波急中生智，跑到廚房裡，選了一個小茄子，堵住郭月英大張著的嘴巴。此招十分有效，但情景十分可怕：郭月英仰著臉，瞪著眼，嘴裡塞著茄子，把那張瘦臉拉得更加狹長，像一隻鹿的臉或是狗的臉。胡洪波也像大多數男人一樣，結婚後就對妻子的臉視而不見，甚至忘記她的臉的樣子，只有一團模模糊糊的感覺在下意識裡潛藏著。他好不容易哄睡了嬌嬌，又一次認眞地打量著郭月英的臉，他突然發現，郭月英其實是個相當醜陋的女人，她的呆呆的眼、稀疏的眉毛、狹窄的額頭、彎曲的鼻樑、尖尖的下巴，都讓他感到厭惡。他伸出手，想把茄子從她的嘴巴裡拔出來，又怕她又「哇」個不停；不拔出茄子，難道讓她永遠叼著？他猛然意識到情形有些蹊蹺，郭月英怎麼這麼老實？他輕輕捏著茄子把兒，想把茄子拽出來，但沒拽出來；他手上使了勁，再拽，還是沒拽出來。他有些著急，左手攥住郭月英的下巴，右手捏住茄子把，用力往外一拔，只聽得一聲響亮，茄子出來了，郭月英卻倒了。胡洪波慌忙把她抱在床上，摸摸心臟，還跳，試試鼻孔，還喘氣，知道沒死，心中頓時輕鬆了許多。再看郭月英，嘴大張著不合，好像還叼著茄子一樣。胡洪波少時學過一點按摩正骨，便揉著郭月英的臉，往上托下巴，竟然把那張嘴合住了。嘴合了眼也閉了，並且從鼻孔裡噴出一些齁齁的鼾聲。謝天謝地！胡洪波禱祝一聲，一腚坐在椅子上，渾身臭汗，骨頭痠痛，好像剛從籃球場上下來。

第二天早晨，胡洪波表現極好，一大早就去取回了奶，煮好，餵飽嬌嬌，然後又煮麵條、煎雞蛋，侍候郭月英吃飯。郭月英的臉像木頭一樣，沒有半點表情。胡洪波相信時間是治療一切痛苦的良藥，女人臉像木頭時，最好暫時躲開，於是他推出自行車，把嬌嬌送去幼兒園，自己跑到辦公室裡打開水，擦地板，抹桌子，好像要用勞動洗刷罪責一樣。胡洪波此刻還不知道，那種叫做「幸福」的東西，已經離他而去。後來他曾想到，所謂的「幸福」，就像燕子一樣，數量是有限的，它在這家檐下築了巢，就不會再到別家去壘窩。所以要想得到幸福，首先要蓋一棟適合燕築巢的房子。

胡洪波忙完了，在辦公桌前坐下來，剛點菸吸了一口，馬副部長來了。胡洪波慌忙站起來，低垂著腦袋向馬副部長問好。馬副部長很嚴肅地問：「小胡，昨晚上跟小郭鬧矛盾了？」

胡洪波紅著臉說：「吵了兩句嘴，主要是我不好。」

馬副部長語重心長地說：「小胡啊，現在，資產階級自由化氾濫，使許多丈夫不喜歡妻子，我們身為縣委幹部，一定要注意影響啊！」

胡洪波感到渾身發冷，心情緊張，好像自己就是一個被資產階級自由化氾濫了的丈夫一樣。他連聲說：「是，是，是，我一定注意。」

正在這時，電話鈴響了。胡洪波起身去接，馬副部長卻就近抄起了話筒，拖著長腔：「喂，找誰？是宣傳部，找誰？胡洪波？你貴姓？噢，是小郭，小胡欺負你了？我正在訓他呢！」

馬副部長把話筒遞給胡洪波，臉上堆著令胡洪波感到恐懼的微笑。他戰戰兢兢接過話筒，剛喂了一聲，就聽到郭月英在那邊咬牙切齒地說：「只要我的辮子在，你就別想跑！」胡洪波剛要說點什麼，郭月英就把電話掛了。

胡洪波滿面羞愧，窘得連從電話機走回辦公桌前這幾步路都不會走了。郭月英的聲音很大，那句像咒語一樣的話屋裡的人都聽得清清楚楚。馬副部長笑著說：

「小郭又要施展『神鞭』的絕技了。」滿屋裡的人都笑起來，他們都聽說過「郭大辮子」纏住「胡大主筆」的趣聞。

胡洪波紅著臉說：「玩笑話……一句玩笑話……」嘴裡這麼說著，但他的心裡卻產生了對郭月英的強烈不滿。即便我有天大的不是，你也不該把電話打到辦公室裡來丟我的面子！整整一個上午，他都在發著恨，虛構著各種各樣的教訓郭月英的情景，五彩繽紛的妙語像潮水一樣滾滾而來。

中午下班後，懷著滿腔怒火他騎車回了家。支好車，一腳踹開虛掩著的門，想給郭月英一個下馬威。他迎面碰上了郭月英呆呆的目光。他看到她光著背，赤著脚，雙手攥著大辮子，半張著嘴，下巴耷拉著，怒沖沖地說：「只要我的辮子在，你就別想跑！」胡洪波憤怒地吼著：「郭月英，你不要得理不饒人！我讓你剪辮子，也不過是隨口說的一句話，沒有半點別的意思，願意剪你就剪，不願剪你就留著。退一步說，這話就算我說錯了，傷了你的心，但我已向你賠了禮，道了歉，投了降，告了饒，好漢不打告饒的。你這樣鬧，就是胡攪蠻纏，存心不想跟我正經過日子了！」

他怒沖沖說完，自己都感到義正辭嚴、通情達理。他準備著郭月英撒撒嬌、耍耍賴，用辮子抽他。然後抱她上床，親兩口咬兩嘴，就重歸於好了。但郭月英對他的那番話毫無反應，依然是攥著大辮瞪著眼，怒沖沖地說：

「只要我的辮子在，你就別想跑！」

胡洪波這才感覺到情況複雜，他仔細觀察郭月英，見她目光呆滯，反應遲鈍，已經是一個標準的精神病人了。但他還不願承認事實，大聲說：「月英，嬌嬌來了！」

他發現她連眼珠都沒動一下，卻咬著牙根，重複了一遍那句驚心動魄的話：

「只要我的辮子在，你就別想跑！」

往後的日子就亂七八糟了。胡洪波首先找到馬副部長匯報情況，把事情的前後經過毫無隱瞞地說了一遍，他說著說著就流下了眼淚。但他分明看出馬副部長的眼睛裡藏著許多問號。他捶胸頓足地發誓說如有半句謊言天打五雷轟，馬副部長卻冷冰冰地說：「你即便說得全是假話天也不會打你五雷也不會轟你，我們共產黨員不搞賭咒發誓這一套。」胡洪波說：「我用黨性保證我沒說假話。」馬副部長說：「先送小郭去醫院治病，其餘的事組織會調查淸楚。」

後來他就把郭月英送進精神病醫院，醫院又讓他逑說郭月英的發病經過，他又如實說了一遍，醫生們都說：「就爲這麼點事就得了精神病？」言外之意還是說胡洪波隱瞞了重要內容，胡洪波又是賭咒發誓用黨性、人性用女兒嬌嬌的名義保證他一句謊話也沒說，但他發現醫生們的臉就像木頭一樣，於是他再也不解釋什麼，把希望寄托在郭月英身上，他眞心希望她能恢復理智，好爲他洗刷淸白。他把女兒送回老家讓爹娘給養著，自己白天上班，晚上去精神病院陪郭月英。半年過去，胡洪波累弓了腰，愁白了頭，可郭月英的病沒有任何進展，飯送到嘴裡，吃；水端到唇邊，喝；也不哭，也不鬧，也不跑，也不跳，唯一的毛病就是，只要見了胡洪波，就攥著大辮子念咒語：「只要我的辮子在，你就別想跑！」

後來，連精神病院的醫生聽了這句話也忍不住笑起來，都說胡幹事你算是沒法子逃脫了，拴在郭月英辮梢上算啦。

精神病院在半年內使盡了全部招數，郭月英的病不好也不壞，但醫療費海了去了。連年虧損的新華書店領導找縣委宣傳部哭窮，說郭月英再住下去職工們意見就大發了。於是馬副部長親自去精神病院了解情況，醫院說住著也是白住著。於是在一個晴朗的秋日下午，胡洪波借了一輛三輪車把郭月英拉回了家。郭月英的娘是個退休的小學教師，胡洪波把她請來照顧她女兒。

不久，馬副部長得急症死了，宣傳部空出了一個副部長的缺，很多人都暗地裡活動，想補這個缺。組織部那位女部長卻拍板讓胡洪波當了副部長。她的理由是：小胡有文憑，有能力，作風正派，難得的是心眼好，侍候郭月英半年，連句怨言都沒有，比兒子還孝順，這樣的青年幹部不提拔提拔什麼樣的？

胡洪波當了副部長，坐在了馬副部長的辦公桌上，苦悶略有減緩；但只要一進家門，一聽到郭月英那句詛咒，他就感到，家裡有個精神病老婆，即便當了中央宣傳部的副部長，也沒有什麼意思了。

有一段時間內，他曾生出過離婚的念頭，但聽人說與精神病人離婚相當麻煩，他既怕麻煩，又怕輿論，何況郭月英大辮還在，何況他這個副部長正是因爲侍候郭大辮才得到呢。於是，嘆一口長氣，算了，低著頭，把日子一天天混下來。

胡洪波當副部長半年，就到了九〇年年底。縣廣播電視局召開表彰先進大會，請他去參加。他去了，講了話，鼓了掌，然後就給先進工作者發獎狀。他的老朋友、廣播電視局長萬年青宣讀受獎者名單。老萬念一個人名，就上來一個，胡洪波雙手把鑲在玻璃鏡框裡的獎狀遞給這個人，那人自然也是用雙手恭恭敬敬接了，然後兩人都騰出右手，握一握，讓人照幾張相，然後那人就抱著鏡框到台下去了。

這些上台來領獎的人，有胡洪波熟識的，也有胡洪波不熟識的，不管熟識的還是不熟識的，他都報以微笑。他的老朋友萬年青念了一個名字：余甜甜。他接過旁邊的人遞過來的鏡框，低頭看到了獎狀上用毛筆寫著的余甜甜三個大字，抬頭看到余甜甜昂頭挺胸走上台來。他立即認出了她是縣電視台的女播音員。他覺得她比在屏幕上的形象更有魅力。余甜甜這樣的女人自然不會羞澀，她落落大方地走到胡洪波面前，莞爾一笑，接鏡框、握手。他感到她的手潮乎乎的，很小，像想像中的小母獸的爪子。照相的彎著腰照，一副格外賣力的樣子。余甜甜抱著鏡框轉身下台時，把腦後一根大辮子甩了起來，「颼溜」一聲，彷彿有一條鞭子抽在胡洪波的臉上。他感到心中充滿複雜的感覺，像驚懼不是驚懼，像幸福不是幸福，像緊張不是緊張。他感到腦袋暈乎乎的，有點醉酒的味道。萬年青輕輕地踢了一下他的脚，低聲道：「老伙計，小心！」

會後，萬年青在金橋賓館請客，余甜甜做陪，胡洪波不知不覺就把腦袋喝暈了。他感到自己想哭又想笑，心中有一種情緒，叫做「淡淡的憂傷」。萬年青提議讓他唱歌，他很爽快地答應了。他嗓子不錯，在縣劇團混過。他站起來，想了想，唱一支民歌：在那遙遠的地方，有一位好姑娘……她那美麗的笑臉，好像紅月亮……我願做隻小羊，跟在你身旁……唱到願讓那姑娘用鞭梢輕輕抽打脊梁時，他感到有兩滴涼涼的淚珠在腮上滾動……他不敢抬頭看余甜甜。他聽到萬年青問：「伙計，用鞭梢還是用辮梢？」

他問：「你說什麼？」

萬年青笑著說：「抽打脊梁呀。」

陪席的人都笑起來，胡洪波也跟著笑了。他心裡很溫暖，感到人與人之間的關係十分美好。

萬年青說：「行了，胡副部長累了，大家散了吧！」

他站起來，覺得腿像踩在雲霧裡。萬年青吩咐道：「小余，找服務員給胡副部長開個房間休息。」

萬年青挽著他的胳膊走出客廳，走在鋪了紅色化纖地毯的走廊裡。他看到余甜甜在前邊小跑，腦後那根大辮子像一根鞭子甩打著……

萬年青把嘴貼在他耳朵上說：「伙計，想換條大辮子嗎？」

醒酒之後，他感到自己很荒唐，生怕招來流言蜚語，過了幾天，沒有什麼動靜，他放了心。

有一天傍晚，他騎著自行車路過這裡，有一個女人從槐樹林衝出來。他手閘腳閘並用，自行車前輪還是撞在那女人小腿上，他沒有發火，因爲那女人是余甜甜。他怔怔地望著臉脹得通紅的余甜甜，一時竟不知該說什麼。後來他醒過神來，不自然地問：「撞壞了沒有？」

余甜甜沒回答他的問題，卻把腦袋一晃，將那條大辮子甩到胸前，雙手攥著，咬牙切齒地說：「只要我的辮子在，你就別想跑！」

胡洪波只覺得耳朵裡一陣轟鳴，眼前一片漆黑。等他恢復了視力時，余甜甜已經沒了踪影。

他懷疑自己在做夢。

晚上，他打開電視機，看著余甜甜一本正經地報告著新聞，心中漸漸升騰起怒火，他認爲這個女人在奚落自己。轉念一想又覺得不像。

第二天傍晚，騎車路過槐樹林時，他雖沒放慢速度卻提高了警惕。余甜甜跑出樹林時，他已跳下了車子。

他沒等她開言，就冷冷地說：「余小姐，不要拿別人的痛苦取樂！」

她愣了一會，突然大聲嗚咽起來。嚇得胡洪波四處看著，低聲下氣地勸：「別哭，別哭，讓人看見會怎麼想呢？」

她說：「愛怎麼想就怎麼想，我不怕！反正我愛你，我絕不放掉你！」說完了又哭，哭著一晃腦袋、甩過大辮子來，雙手攥著，沒等她念那句由郭月英發明的咒語，他就失去控制地叫起來：「夠了，夠了，姑奶奶，饒我一條小命吧！我已經被大辮子女人嚇破了苦膽！」

第三天傍晚，暴雨剛過，還是在槐樹林邊，渾身透濕的余甜甜衝出來攔住胡洪波，從腰裡摸出一把大剪刀，伸到腦後，「卡嚓卡嚓」幾下子，將那根水淋淋的大辮子齊根鉸下來，扔到他的懷裡。她說：「我不是大辮子女人了。」她的頭去掉了沉重的辮子後，顯得輕飄飄地，很不自然的樣子。她撫摸著脖子，眼裡滾出了眼淚。雨後的斜陽照耀著她生氣蓬勃的年輕臉龐，顯出巨大的魅力來。胡洪波不得不承認余甜甜是個十分美麗的姑娘，郭月英差了她十八個檔次。

他雙手捧著余甜甜的大辮子，看著她那水淋淋的豐碩身體，渾身像篩糠一樣打著哆嗦說：「甜甜，你到底要幹什麼？」

「我已經屬於你了，你讓我幹什麼我就幹什麼！」余甜甜說著，一步步逼上來。

「瞎說，你怎麼會屬於我呢？」他著急地辯解著，膽怯地後退著。

「我把辮子都鉸給你了，怎麼不屬於你？」余甜甜拔高嗓門哭叫著。

……

暮色濃重了，湖上升騰起白色的煙霧。他把余甜甜的辮子塞進懷裡，推著自行車，昏頭脹腦地走進家門。郭月英對著他念那句咒語：

「只要我的辮子在，你就別想跑！」

他突然感到余甜甜的辮子在自己懷裡快速地顫抖起來，一股濃烈的髮香撲進了鼻腔，余甜甜美麗的一切都在對照著面如死鬼的郭月英。他感到一股怒火在心中燃燒，一句髒話脫口衝出，他從懷裡抽出余甜甜的大辮子，對準郭月英的臉，狠狠地抽了一下子。隨著一聲脆響，郭月英倒在地上。他的岳母聞聲從廚房裡趕出來，大聲叫嚷著：「他姐夫，你要幹什麼？」

「辮子，辮子，該死的辮子！」他紅眼叫嚷著。

「啊呀，你把我閨女的辮子鉸掉了，你這個黑了心的畜牲！」

他一辮子把岳母抽了一個趔趄，大聲吼著：「是，我要鉸掉你閨女的辮子！」

他翻箱倒櫃地找剪刀，沒找到。他衝進廚房，抄起一把菜刀，跳過來，一辮子把爬過來保護閨女髮辮的岳母打到一邊去，然後，把余甜甜的辮子繞在脖子上，騰出左手，拉過一只小板凳。

胡洪波右腳踩住郭月英瘦長的頭顱，左腳支撐著身體，左手扯著郭月英的辮子——脖子上掛著余甜甜的辮子——右手高舉起菜刀，嘴裡罵一聲：「狗娘養的！」罵聲出，菜刀落，「嚓」地一聲，郭月英的辮子齊齊地斷了。

胡洪波坐在地上，大口地喘著粗氣。

郭月英爬起來，哭著說：「你這狠心的，鉸辮子就鉸辮子，下這樣的狠勁幹什麼？」

天才

蔣大志少時，被村裡的尊長、學校裡的老師公認爲最聰明的孩子。他生著一顆圓溜溜的腦袋，兩隻漆黑發亮的眼睛，一看模樣就知道是個天才。那時候，老師誇獎他，女同學喜歡他，我們——他的男同學，總感到他彆扭，總是莫名其妙地恨他——現在，我們知道了那種不健康的感情是嫉妒。老師常常罵我們的腦袋是死榆木疙瘩，利斧劈不開一條縫，要我們向蔣大志學習。我們的一位叫「花豬」的同學反駁老師：「蔣大志的腦袋跟我們的腦袋不一樣，讓我們怎麼學？難道讓爹娘重新回我們一次爐嗎？」「花豬」的話把那位外號「狼」的老師逗笑了。「狼」看看蔣大志那顆在一片腦袋中出類拔萃的腦袋，嘆一口氣，說：「是不能學了，你們也無法回爐——出窰的磚，定型了。」我們回家把「狼」的話向家長轉述了，家長們也只好嘆息。

從此後「狼」便把大部分精力傾注到蔣大志身上，對我們這些蠢材則放任自流。蔣大志也不辜負「狼」的期望，先是在地區小學生作文比賽中獲得一等獎，繼而又寫了一篇題爲〈地球是顆大西瓜〉的科幻文章，在《小學生科技報》發表了。這件事引起了很大的轟動，成了村裡人半個月內的主要話題。蔣大志的爹蔣四亭也興奮得要命，逢人說不上三句話就扯出兒子的話頭來。後來，人們一見他的面，索性劈頭便說：「老蔣，你這個兒子是怎麼做出來的？把祕訣傳傳，我們也去做個天才。」老蔣聽不出人們話語中的譏諷之意，反而十分認眞地說：「哪裡有什麼祕訣？一樣的父精母血，一樣的炕東頭滾到炕西頭，要說有什麼，就是這孩子生下來就睜著眼。」老蔣還說，如果吃得好一點，蔣大志還要聰明。聽話的人說：「老蔣，別讓你兒子再聰明了，他要再聰明俺那些孩子就該捏死了。」

我們明白了蔣大志的聰明與他那顆大腦袋有關係，就開始醞釀一個陰謀。「花豬」是主要的策畫者。我們的目的是打壞蔣大志的腦袋，但又不被「狼」發現。有人提議夜晚把他騙出來，從後腦勺上給他一悶棍；有人提議放學後躲到胡同裡，當頭給他一磚頭。這些辦法都被「花豬」否定，說這樣搞非倒大楣不行。「花豬」想了個辦法：拉蔣大志打籃球，用籃球砸他的後腦勺，第一是不破皮不出血，「狼」抓不到把柄；第二可以把事情解釋成傳球失誤，這辦法贏得了我們的一致喝采。我們說：「『花豬』你才是眞天才呢，蔣大志會寫幾篇破作文算什麼天才？」

有一天上體育課，「狼」照老例給我們一個籃球，讓我們到球場上去胡鬧。球場上有很多坑坑窪窪，碎磚爛瓦，球場邊上有一棵槐樹，樹幹上綁一個鐵圈，就算籃框。女生們在一起玩跳繩、跳坊、踢毽子，男生在一起搶籃球，嗷嗷叫著跑了一陣子，「花豬」擠擠眼，我們會意，故意擁擠在一起，把蔣大志推來搡去，先把他搞得暈頭轉向，然後，不知是誰冷不防揚起兩把浮土，大喊著：「地雷爆炸了。」浮土迷了許多人的眼，當然蔣大志的眼迷得最厲害。我看到籃球傳到「花豬」手裡，他雙手抱球，舉到頭上，卯足了勁，對著蔣大志的後腦勺子砸過去。砰！籃球反彈回去，蔣大志就地轉圓圈。我們叫著追籃球去了，蔣大志一個人站在那兒哭。

事後，大家都擔心蔣大志向「狼」報告，「花豬」跟我們幾個骨幹分子訂立了攻守同盟。我們等待著「狼」的懲罰，每天上課時都提心吊膽。但什麼事也沒有發生。我們繼續蠢笨，蔣大志繼續聰明。

幾年之後，我們畢了業，很自然地回家種莊稼做農民，只有蔣大志一個人考到縣一中去繼續念書。我們與蔣大志拉開了距離，那種莫名其妙地恨人家的感覺無形中消逝了。當我們趁著凌晨水清去河裡挑水時，經常能碰到蔣大志背著書包、口糧匆匆往學校趕。我們很恭敬地問候他，他也很禮貌地回答。我記得那時他的臉很蒼白，神情很悒鬱，走起路來飄飄的，好像腳下沒有根基。

又過了幾年，聽說他考上了大學，而且還是很名牌的大學。我們聽到這消息，一點兒也不感到吃驚。我們感到這是應該發生的事情，蔣大志有那麼大、那麼圓的腦袋，他不去上大學，這個世界上誰還配上大學呢？

好像是在一個陰雨連綿的夏季，我、「花豬」等人在河堤上守護堤壩。河裡水很大，淹沒了橋樑，但決堤的危險是不存在的，所以我們坐在河堤上下五子棋玩。蔣大志的爹找到我們，說蔣大志放暑假回來了，被河水隔在了對岸，剛才從鄉政府搖電話過來，讓我們綁幾個葫蘆渡他過來。我們很爽快地答應了。

渡他過河後，他穿著一條褲頭站在河堤上發抖，周身的皮膚土黃色、一身骨頭，顯得那頭更大。我們不約而同地想起在籃球場上算計他的事，都覺得心裡愧愧的。

「花豬」說：「兄弟，當年我打了你一球，原想把你的天才打掉哩。」

他笑著說：「真要感謝你那一球呢，你那一球把我打成天才了。」

「花豬」問：「哪有這樣的事？」

他說：「你們等著看吧。」

我問：「兄弟，你在大學裡學什麼呢？」

他說：「大學裡學不到什麼，我正準備退學呢！」

我說：「使不得。兄弟，你是咱村多少年來第一個大學生，大家都盼著你成大氣候呢。你成了大氣候，我們這些同學也跟著沾光。」

他搖搖頭，腦袋顯然是走神了。

我們聽到蔣大志退學回家的消息，都大吃了一驚。多少人想上大學去不成啊！吃驚之後，我們也感到惋惜，像我們這些蠢豬笨驢，在莊戶地裡翻土倒糞，原是生就的骨頭長就的肉，命定了。但你蔣大志長了顆那樣的腦袋，在莊戶地裡不是白白糟蹋了嗎？我找到幾個當年合謀陷害蔣大志的同學，想一起去勸勸他。我們想，書念多了的人，有時也會犯糊塗，他那裡知道莊戶地裡的厲害？要是眞有十八層地獄，莊戶地裡就是第十八層了！權貴人家的狗，也比我們活得舒坦。

我們推開他家的柵欄門，一條尖耳朵的小黃狗搖著尾巴歡迎我們。他家的四間瓦屋還算敞亮，滿院子向日葵開得正熱鬧。我們才要喊，他的爹已經出來了。他壓低了嗓門問：「你們有什麼事？」

「花豬」說：「聽說大志兄弟退了大學，我們想來勸勸他，讓他別犯糊塗。」

他爹搖搖頭，說：「我和他娘把嘴唇都磨薄了！這孩子，從小主意大，認準了的理兒，十頭老牛也拉不轉回。」

我說：「我們不忍心看著他這樣把自己的前程糟蹋了，勸勸，或許能勸回了頭。」

他爹說：「各位大侄子，不必費心了，任由著他折騰去吧。」

「花豬」說：「不行，我們不能眼瞅著他把自己毀了。咱這個窮村子，五輩子就出了這麼個大學生。」

我們正吵嚷著，蔣大志從屋裡出來了。他弓著腰，臉色蠟黃，一副大病纏身的樣子。他摘下眼鏡、放衣襟上擦擦，戴上，對我們說：「各位老同學，你們的話，我都聽到了。」

我們剛要勸說，他伸出一隻手，舉起來，晃晃，說：「老同學們，你們知道唐山大地震吧？」

「花豬」說：「怎麼能不知道！唐山地震那會兒，俺家的房樑還咯崩響呢。」

他問：「你們知道唐山地震死了多少人嗎？」

我們不知道。

他說：「唐山地震死了二十四萬人。這還算少的呢，一五五六年陝西大地震，死了八十三萬人。還有日本大地震，智利大地震，死人都在十萬以上。」

我們說：「我們想來勸你回去念大學哩，你給我們說地震幹什麼。」

他說：「老同學們，你們不知道，我們這個地區，處在地震活躍帶上，隨時都有可能爆發大地震。」

「花豬」說：「那你更不應該回來了。真要來了地震，砸死俺這樣的，給國家省糧食、減人口，死一個少一個，砸死你可不得了，你是有用的人，不能死。」

他說：「老同學，要是家鄉的人都砸死，我當了國家主席又有什麼意思？我退學回來，就是為了研究地震預報。」

我說：「這事兒國家還能不搞？」

他搖搖頭，說：「我去參觀過他們的設施，那些東西，根本不靈。當然，更落後的，還是他們的觀念。他們的地震理論的大前提是根本錯誤的，所以，他們研究手段愈先進，他們背離眞理就愈遠。這與『南轅北轍』是一個道理。」

我們迷茫地看著他。

他很無奈地說：「我看出來了，我說的話，你們既不相信，也不明白。但總有一天你們會相信，總有一天會明白。」他指指自己的腦袋，說：「你們不相信我，總該相信它吧？」

他的衣襟上沾滿了紅藍墨水，他的腦袋上似乎冒著繚繞的白氣，那不是仙氣又是什麼？我們心中的敬畏油然而生，嘟嘟噥噥地說著：「兄弟，我們相信你，你研究吧，有什麼活兒要幹，就跟我們打個招呼。」我們倒退著離開他的家門。

河邊的沙地上，種著一望無際的碧綠的西瓜。這是魯迅先生用過的句子，我們在小學生語文課本上讀到過的，瓜田有張三家的，有李四家的——幾乎家家都有一塊，我們這地方的土質最適合種西瓜。這裡的西瓜個大皮薄，脆沙瓤兒，屈指一彈，便能爆裂。家家的瓜田裡，都有一個瓜棚，遠看像一座座碉堡。蔣大志退學之後，在家貓了一冬，我們不敢去打擾他，見面問他爹，他爹說他沒日沒夜地寫、畫，我們問他寫什麼？畫什麼？他爹說寫一些彎彎曲曲的外國字，畫一些奇形怪狀的科學畫。這小子，他爹不無自豪地說，沒有幹不成的事，這小子，沒準眞能下出個金蛋呢。

開春之後，我們有一半時間泡在西瓜地裡，眼見著西瓜爬蔓，開花，坐果。當小西瓜長到毛茸茸的拳頭大時，蔣大志出現在他爹的瓜地裡。半年多沒見，他臉更白，眼更大，瘦弱的身體，似乎已承擔不了腦袋的重量。我們原以爲他是出來看風景呢，沒想到他是來搞研究呢。

他拿著一個放大鏡，跪在他爹的西瓜地裡，照完了瓜秧照西瓜，反來覆去地照，一照就是一上午。河裡的水明光光的，他的頭也是明光光的。我們想他是不是不研究地震而研究西瓜了？研究課題的轉變使我們高興，他如果能研究出西瓜的新品種、栽培的新技術，對我們大大地有利。我們不敢直接問他，間接地問他爹，他爹說他也不知道。那時候他爹還是幸福的，天氣略有些乾旱，正合適西瓜生長。在長勢良好的西瓜地裡，還成長著一個即將震驚世界的兒子，老頭子怎能不幸福？

他的娘有時把午飯送到地裡來，老太婆看到兒子腦袋上亮晶晶的汗珠和滿身的塵土，忍不住地說：「兒啊，歇會兒吧，讓你那個腦袋瓜子歇會兒吧。」

他的刻苦精神讓人感動，我們通過他認識到：當個科學家比當農民還要艱難，當農民是要出大力流大汗，但幹完了活跳到河裡洗個澡，躺在四面通風的瓜棚裡睡一覺，享受得也是人間至福。可是我們在瓜棚裡吹著涼風睡覺時，科學家還跪在西瓜地裡冥思苦想。時間一天天熬過去，西瓜一天天長大，我們眼見著他瘦。他的身子快成了瓜秧，腦袋不見瘦，快成了西瓜。我們勸他爹：「大叔，讓大志兄弟歇會吧，他那膝蓋上，是不是扎了根？這樣下去，你兒子就變成一顆西瓜了。」

布穀鳥飛來又飛去。槐花盛開又凋落。麥子熟了。西瓜長得比蔣大志的腦袋還要大了。天氣熱了。有一天，忽喇喇一個閃，喀隆隆一個雷，第一場雷雨下來了。雨點中夾雜著一些花生米大小的冰雹。我們都躲在瓜棚裡避雨。科學家還跪在西瓜地裡，擎著頭，直瞪著眼，思考著最最深奧的大問題。西瓜葉子被風吹著，翻卷出灰白的、毛茸茸的葉背，閃出了滿地的、油漉漉、圓溜溜的大西瓜。稀疏的冰雹打穿了一些西瓜的葉片，也在西瓜上打出了一些傷痕，我們有些心疼。但我們更心疼正遭受著風吹雨淋雹打的科學家的腦袋。稀疏的頭髮淋溼後緊貼在頭皮上，更像西瓜了，冰雹打上去，潔白的、亮晶晶地彈跳起來，落在一旁。我的瓜棚離他爹的瓜棚最近，我大聲喊：「蔣大叔，你難道不想要這個兒子了嗎？」

他的爹冒著風雨跑到我的瓜棚裡來，渾身哆嗦著，眼淚汪汪地說：「怎麼辦？怎麼辦？他說了，天上下刀子也不要打擾他，他思考的問題已到了最關鍵的時刻，今天是最後解決的時候了……」

我說：「也不能眼睜睜地看著他被雨淋死呀。」

我們拿著斗笠、簑衣，走到科學家身邊，似乎聽到了他腦袋裡發出隆隆的響聲，這是一台偉大的思想機器在運轉。我試探著用食指戳了一下他的肩膀，感覺到了冰冷和僵硬。不好了，大叔，你兒子已經凍僵了。

我們往他的嘴裡灌了薑湯，又用燒酒搓了他的全身。他灰白的肉體上漸漸洇出了一些粉紅的顏色，凝固了的眼珠慢慢地轉動起來。

他試圖站起來，但分明是沒有力氣。他的眼睛裡閃動著滿天飛舞的鳥兒也許才有的興奮，他哆嗦著嘴唇說：「伙計們，我想明白了！」

說完了這句話，科學家一頭栽倒。伸手試試他的額頭，老天爺，燙得像火炭一樣。我們從瓜棚上拆下一頁門板，幾個人抬著科學家，涉過河水，跑到了鄉衛生院。

頭批西瓜摘下來時，科學家出院了。我們齊集在他爹的瓜棚裡，等待著他向我們宣布他的思想成果。

他雙手端著一顆大西瓜，氣喘吁吁地說：「兄弟爺們們，老同學們，我知道這個問題很複雜很深奧，三言兩語說不清楚，我盡量把問題簡單化、形象化，便於你們理解：通過觀察研究，我發現：西瓜的生長發育過程，與地球的生長發育過程完全一致，西瓜是地球的一個縮小，或者說，我現在雙手端著一個縮小了無數倍的地球……因此，研究西瓜就是研究地球，解剖西瓜就是解剖地球，我已經明白了地震的生成原因，我已經能夠準確地預報地震……」

他把西瓜放在木板上，從鋪下抽出明晃晃瓜刀，嚓，把西瓜切成兩半，指點著那些紅瓤黑籽筋筋絡絡對我們說：「瞧，這是地殼，這是地幔，這是地核，這是灼熱的岩漿，這是移動著的板塊……」

我們呆呆地看著他。他寬容地笑了，把那顆熟透的西瓜一陣亂刀剁成了無數小塊，分給我們，說：「你們一定在想，這小子是不是神經病了？我不怪罪你們。吃西瓜，嘗嘗新鮮，嘗嘗我爹的勞動成果。」

我們捧著那一牙西瓜，感到非常非常沉重，這是一部分地球呀，也許這一牙西瓜上，就有半個中國，這上邊有大城市、大森林、大沙漠、大海洋、大雪山……我們膽戰心驚地咬了一口紅色的瓜瓤——他說：「這是岩漿——我們感到今年的地球成色很好，冰涼的岩漿水分充足，又沙又甜，進口就能溶化……」

他說：「你們爲什麼不反駁呢？你們應該問我：蔣大志，我問你：如果西瓜代表地球，那麼地球上的海洋表現在西瓜的什麼位置上？長江在哪？黃河在哪？喜馬拉雅山在哪？哪是北京哪是華盛頓？西瓜長在瓜秧上，地球呢？是不是也結在一棵秧上？太陽系是一片西瓜呢還是一顆西瓜？宇宙中是否布滿四維爬動的西瓜藤？這個枝杈裡結著一個太陽？那個枝杈裡結著一顆月亮？……你們爲什麼不問呢？」

我們捧著地球皮更加發呆，每個人都感到腦袋發脹，那麼多的星球在我們的腦袋裡像西瓜一樣碰撞著、翻滾著，我們頭痛欲裂，腦漿子變成了灼熱的岩漿……

他悲哀地看著我們，咬了一口岩漿，吐出一塊地幔（？），仍掉一塊肯定的地殼，說：「我知道，你們不需要我的解答了。但是，兄弟們、爺們們，人類們，我是愛你們的……」

從此之後，我們再也無法安寧，尤其是夜晚在瓜棚裡看瓜時，抬頭看到滿天的星斗，低頭看到遍地的西瓜，就感到一種巨大的恐懼，無數的疑問像成群的螞蟻一樣在腦子裡爬；西瓜是地球，瓜葉是什麼？瓜花是什麼？瓜籽是什麼？玉米是什麼？大豆是什麼？吃瓜的獾是什麼？沙地是什麼？尿素化肥是什麼？……人又是什麼？

地震

蔣四亭摘完了瓜田裡最後一棵枯萎的西瓜秧，直起腰，抬頭看了一下天。初秋的正午陽光明媚而強烈，湛藍的天空比夏天時高了許多，有一些大團的白雲急匆匆地奔馳著，投下一些飛快滑動的暗影。熱熱鬧鬧的西瓜季節過去了，瓜農們的腰包裡都有了一些皺皺巴巴、充滿酸臭氣息的鈔票，腰桿子顯得比春天時直溜了一些。唯有蔣四亭的腰直不起來。他用半握的拳頭捶打著痠麻脹痛的腰部肌肉，嘆息一聲，抱起那顆最後的落秧西瓜，心事重重地往家走。臨近村頭時，有一個外號「花豬」的中年男人問他：「蔣大叔，大志兄弟的研究成果什麼時候見報？」

他從「花豬」油滑的臉上讀出譏諷來，便冷冷地回道：「總有那麼一天，你會後悔今日說的話。」

「花豬」道：「大叔，我可沒有瞧不起大志兄弟的意思，我跟他從小同學，我知道他有天才。」

蔣四亭說：「誰知道你是什麼意思！」說完了話，他不去理「花豬」，抱著那個青油油的小西瓜，朝自己家裡走。他聽到「花豬」在背後說：「爺兩個都成了神經病。」

「他爹，」蔣四亭的老婆愁苦地說，「我端詳著咱孩子不大對勁兒，一天到晚關在屋裡，嘴裡神念八語地，也不知道說些什麼，人家都說他得了神經病……」

「胡說，」蔣四亭放下西瓜，壓低了嗓門訓斥老婆，「別人糟蹋大志，是他們看著咱孩子有出息嫉妒，咱自己怎麼也糟蹋孩子？」

「你個老東西，」老婆說，「我能不巴望咱兒好？我是說旁人說……」

「旁人說什麼，咱不能去堵住人家的嘴，」蔣四亭說，「要緊的是咱自己，不能懷疑兒子。」

「我也沒懷疑，」老婆說，「千萬斤的西瓜，都讓他給糾爛了，我不是半句也沒抱怨嗎？」

蔣四亭說：「不抱怨就好，捨不出孩子套不住狼，何況幾個西瓜。等咱孩子把事弄成了，咱就不用種地了，到時候氣死那些說風涼話的東西。」

老兩口子正說著話，蔣大志從裡屋走出來。他面色蒼白，頭髮蓬著，衣衫不整。院子裡的光線使他瞇縫起眼。他用手掌遮住陽光看了看天，然後急匆匆地轉到豬圈牆後小解。回來後，不跟爹娘打招呼，就要往屋裡鑽。蔣四亭說：

「大志，你慢點走，我有話跟你說。」

蔣大志停住腳，問：「爹，你快點，我正忙著哩。」

四亭道：「再忙也聽我說幾句，」他指著那個青翠的西瓜，「這是咱瓜地裡最後一個瓜了，我抱回來，讓你研究。」

大志趨前一步，曲起中指，敲了敲西瓜，自言自語地說：「只要給我足夠長的槓桿，我就能移動地球！」

四亭道：「還要什麼槓桿，我一隻手從地裡抱來家的。」

大志說：「爹，你這是犯了偷換概念的邏輯錯誤。」

四亭道：「兒呀，你別給爹撇文嘍，爹不明白。爹想跟你說，你那東西要是搗弄的差不多了，就該拿出來顯顯世，堵堵外人的嘴。你憋在家裡聽不到，風言風語可不少啊！」

大志道：「如果沒人風言風語，那才叫奇怪呢！他們說我得了神經病，說我想入非非，說我異想天開對不對？爹，倒回一百年去，要是有人說坐著飛船上了月亮，誰會相信？但是現在人上了月球。當年老伽利略說地球圍繞著太陽轉動，教會架起火來要燒死他，他卻說：『它依然在轉動！』爹，科學上的任何一次革命都是一些被人罵爲瘋子的人搞出來的，許多人爲此甚至犧牲了性命，爹，娘，想想那些偉大的先驅、想想你們的兒子研究課題的偉大、犧牲幾個西瓜算什麼？別人說幾句風言風語又算什麼呢？」

大志一席話，說得蔣四亭眼淚汪汪，他激動地說：「兒啊，俗話說得好，『知子莫如父』，別人不相信你，是他們『狗眼看人低』，爹相信你，只要你能把事情弄出來，別說剖幾個西瓜，就是賣房子賣地，爹也不會猶豫。」

大志的娘也被煽動起昂揚情緒，她雙手捧起那個落秧子西瓜，說：「兒啊，別說話耽誤工夫了，這是咱家瓜地裡最後一個瓜，你快抱去研究吧。」

大志也很激動，蒼白的臉上泛起幾片紅，他接過西瓜，說：「爹，娘，你們是我國農民中思想最解放、行爲最果斷、風格最高尙、最具遠見卓識最少保守思想的空前的傑出代表，能給你們做兒子是我的最大幸福，將來，總有一天，你們的名字將被銘刻在高大的紀念碑上。」

四亭說：「兒，研究吧，咱家的西瓜雖然沒有了，爹準備把圈裡的豬賣了，買西瓜供你研究，賣豬的錢花光了，爹再去賣牛，賣完了牛就賣雞，管什麼都賣光了，爹就豁出老命去賣血。」

大志嘴唇顫抖著，抱著西瓜跑到屋裡去了。

老蔣肚子餓了，吩咐老婆拿飯吃。老婆端出一摞粗麵餅，一碟子蘿蔔鹹菜，放在鍋台上。老蔣咬了一口粗麵餅，感到粗澀難以下咽，有些不滿意地瞟了老婆一眼。他老婆同樣不滿意地瞟了他一眼。這時，他就想起那上千個被兒子剁爛的西瓜。他意識到這些想法與兒子給自己下的斷語相差甚遠，便大口地咽粗麵餅吃蘿蔔鹹菜，借以驅散卑俗，走向高尚與偉大。

「爹，娘，你們跟我來。」蔣大志對正在伸著脖子吃餅的爹娘招招手，神祕又嚴肅地說。

蔣四亭扔掉手中的餅，扯了一把欲張嘴問話的老婆，老兩口子尾隨著兒子，進入那間「實驗室」。

「實驗室」前窗戶上掛著一條破被套，後窗戶上糊著幾層舊報紙，一盞煤油玻璃燈放射著昏黃、柔弱的光線。屋子裡一股霉變味兒。蔣四亭身上冷颼颼地，彷彿進入了傳說中的森羅寶殿。他看到兒子房間的墻壁上畫著一些圖畫，閃閃爍爍地，看不清楚。

兒子站在擺放著煤油燈的桌子旁邊，用一根撐蚊帳用的小竹竿，指指墻上的圖畫，說：「爹，你看不明白吧？」

老蔣把頭搖得像貨郎鼓一樣，連聲說：「看不明白，看不明白……」

「娘你呢，看明白了嗎？」蔣大志又問。

老太婆瞇著眼，打量了一會，怯怯地說：「兒啊，我瞅著你畫了塊西瓜地。」

蔣大志說：「也可以這麼說吧！」

老蔣道：「我也早看出來像塊西瓜地，這些圓的是西瓜，這長的是瓜蔓；這些彎彎曲曲的是瓜鬚子……但我猜想這不會是西瓜地，你閒著沒事畫塊西瓜地幹什麼？」

大志道：「爹，這像塊西瓜地，但的確不是西瓜地，這是我畫的太陽系結構圖。你們看，這是我們居住的地球，這是火星，這是木星……星球之間的藤蔓，實際上就是使它們維持平衡的引力。西瓜的大小、形狀，主要是由西瓜在藤上的位置決定的；同理，星球的大小、形狀、轉速以及諸如地震、火山噴發、山呼海嘯等等現象，也都是由連結著星球的藤——引力——決定的，當然，實際的道理要比這複雜十萬倍，我說了你們也聽不明白。」

老蔣膽怯地問：「兒啊，那些像西瓜葉子的東西是什麼？」

大志道：「那是正在形成的新星球。」

老蔣又問：「兒啊，沒聽說西瓜葉子能長成西瓜呀！」

大志說：「爹，你這問題問得好。你知道嗎？很多植物的果實，就是由葉子進化而成。你切開西瓜，沒看到裡邊有許多筋筋絡絡？那些筋筋絡絡，原來就是葉子的筋筋絡絡呀。」

老蔣困惑地搖搖頭。

大志道：「爹，你來看張圖片。」

老蔣看到兒子掛起一張圖片，聽到兒子說：「爹，這是衛星拍攝的地球照片，你看像不像個西瓜？」

老蔣不敢說話，小蔣用竹竿指點著說：「這是北極，往外凸著，正是瓜蒂連結瓜蔓的地方，這是南極，往裡凹著，正是落花坐果的痕跡。」

老蔣說：「我明白了。」

大志放下竿，手按著桌子上的西瓜，神色莊嚴地說：「爹，娘，叫你們來，是想告訴你們一件大事！」

「兒啊，什麼大事？」老兩口子一起問。

大志把那顆西瓜往前推了推，拿起一枝削得溜尖的鉛筆，指著瓜上一點說：「爹，娘，你們看，這一點，就是咱村所在地，當然，咱村在地球上的比例，比這一點還要小許多許多。根據我的推算，」他指指桌上一大堆紙張，「由於連結著太陽瓜的主藤和蓬勃發展的月亮藤的相互作用，地球瓜上的這一點將發生強烈變化，這變化就是一場大地震，時間在十月一日前後三天內。」

「兒啊，怎麼辦？」老婆子驚呼。

老蔣道：「別急，聽孩子說。」

大志道：「根據我的推算，這次地震的中心，是以我們村爲中心點的方圓五十里的地盤，地震過後，這裡的房屋將全部倒塌，地面上將裂開一條五百米寬的大溝，溝深得望不到底，往外湧帶油花子、散發硫磺味道的黑水……」

「兒啊，快逃命吧！」老婆子說。

「別急，聽兒子的。」

大志道：「爹，娘，我想咱趕快分頭通知鄉親們，讓大家趕快轉移到安全地帶，今天是九月十日，還有半個多月的安全期，來得及。」

老蔣道：「不能告訴他們，尤其不能告訴那些用冷言冷語譏笑過我們的人，砸死他們活該！」

大志道：「爹，這就是你的不對了。鄉親們待咱們好不好，那是小事；可這逃脫地震卻是性命攸關的大事情。要是全村人都砸死了，剩下咱一家三口有什麼意思？」

老蔣道：「兒啊，你說得對。爹剛才說的是氣話，幾百口子性命，不是鬧著玩的。」

大志道：「爹，事不遲疑，你和娘分頭通知鄉親們去吧，讓他們至遲也要在五天之後離開村莊，向西南方向遷移，走得越遠越安全。」

老蔣道：「大志，我把嘴唇都磨薄了，可是沒人聽你的話。」

老蔣婆道：「兒啊，咱盡到了心，他們不走咱就走吧！」

大志道：「爹，娘，這樣吧，你們把家裡值錢的東西收拾收拾，套上牛車拉著，隨時準備走，我親自出馬去勸他們。」

傍晚時，老蔣家的場園上燃起了一把熊熊大火，我們提著水桶衝去救火，到那兒一看，見我們的老同學天才蔣大志站在火堆旁邊，明亮的火焰照耀得他彷彿全身透了明。

他大聲說：「鄉親們，老同學們，火是我點的，不用救了。」

他點燃的是自家的麥草垛，燃燒著的麥穗草發出噼噼啪啪的聲音，好像十幾串鞭炮在同時爆響。烈火生旋風，他的衣服和頭髮在風中飄揚，好像整個人都隨時會飛起來一樣。

「大志，你這是幹什麼？」我們疑惑地問。

「鄉親們，老同學們，」蔣大志揮舞著雙臂，灼熱的氣流沖激著他透明的身體，使他像一塊淺黃色的松香，隨時都會燃燒，隨時都會溶化，他的臉上流著亮晶晶的液體，大聲喊叫著，「聽我的話吧，趕快收拾收拾，朝西南方向逃命，十天之後，這裡將是一片廢墟，地將開裂、湧出黑水……」

我們驀然想起在小學課本上學到的獵人海力布的故事，海力布爲了勸說鄉親們逃離險境，最後變成了石頭，蔣大志呢？他是不是想投身火海？

「大志，背井離鄉，拋家捨業，這可不是一件小事情，」我們問他，「你有把握嗎？」

他斬釘截鐵地說：「我有絕對的把握！鄉親們，把眼光放遠點，留得青山在，不怕沒柴燒。快回家收拾收拾，跟我走吧。」

我們回頭望望被深沉的暮色籠罩著的家園，心中湧起難以割捨的眷戀之情。

「大志，到了那幾天，我們搬到田野裡去住行不？」我們問。

他悲哀地垂下頭，停了一會，揚起掛滿淚花的臉，說：「鄉親們，老同學們，難道非要我跳進火堆裡你們才肯走嗎？」

「你千萬別這麼想，」我們感動地說，「你這番好心我們心領了。我們想，這山崩地裂，是天神爺爺地神奶奶的事，連國家科學院都不敢打包票，萬一……，不是我們信不過你……」

「鄉親們，老同學們，」他難過地說，「那就隨你們吧，記住，十月一日前後三天，萬萬不可在屋子裡待著……後會有期……」

他大哭著走了。

我們的眼裡也盈滿淚水。

當天夜裡，老蔣家趕著牛車上了路。我們齊集在街上為他們送行。不習慣夜路的老牛走起來搖搖晃晃像個醉漢，崎嶇不平的街道使牛車發出嘎嘎吱吱的聲響。老蔣兩口子坐在車上，擁著鋪蓋抱著雞，蔣大志提著馬燈牽著牛，慢騰騰地走出村去。我們目送著那盞昏黃的燈光，耳聽著嘎嘎吱吱的車聲，燈光愈來愈暗，車聲愈來愈弱，終於全部消逝。我們默立在昏暗的街道上，感到十分空虛。

十幾天後，我們都搬到田野裡去躲避災難。秋天的涼風寒露讓村裡半數以上的人患了感冒。起初沒有怨言，後來怨言漸多。都說蔣大志是不折不扣的神經病，都慶幸沒有聽他的鬼話拋家捨業去逃難。過了十月二日，大多數人都回家睡覺去了，只有我們幾個老同學還強迫著老婆孩子與我們一起野營。連老婆孩子也嘲笑我們，說我們和蔣大志一樣中了魔症。我們坐在一起，抽著菸，看著滿天閃爍不定的星斗，聽著秋風吹拂晚熟的莊稼葉子的颯颯聲，也漸漸地悟到這事情的荒唐。我們決定，立即回家去，不再傻乎乎地遭罪了。我們牽著牛，領著狗，抱著孩子，心情古怪地往村子裡走。臨近村頭時，「花豬」說：「地震！」

我們停住腳，用心體驗著。遠處傳來火車鳴笛的聲音。後來便沉入死樣的寂靜。正南方有一片閃閃的光芒，「花豬」說：「地光！」

其實那是膠州城的萬家燈火。

「花豬」發誓說他真的感覺到地皮顫抖了幾下，大家都拿他取笑，說他將繼承蔣大志的事業，把地震預報搞下去。

蔣大志一家今夜宿在什麼地方？

「大志，」老蔣不耐煩地說，「過了十月一日三天了，地怎麼還不震？要是不震，你讓我怎麼回去見人？」

蔣大志的娘沿途受了風寒，躺在車上連聲咳嗽著、呻吟著。老蔣捶打著她的背，她吐了一口痰，喘息著說：「回家……回家……」

蔣大志就著馬燈的昏黃光芒埋頭計算著，幾天的工夫，他又瘦了許多。在父母的嘟噥、埋怨聲中，他抬起頭來，痛苦萬分地說：「錯了，我計算錯了……」

「花豬」拿著一個半導體收音機衝進來，大聲說：「聽廣播沒有？秘魯發生六級地震，就是昨天夜裡我感到地震那會兒。看起來蔣大志那小子並不完全是瞎說。」

翱翔

拜完了天地，黑大漢洪喜就有些按捺不住了。雖然看不到新娘的臉，但新娘修長的雙臂、纖細的腰肢，都顯示出這個膠州北鄉女子超出常人的美麗來。洪喜是高密東北鄉著名的老光棍，四十歲了、一臉大麻子，不久前由老娘做主，用自己的親妹子楊花，換來了這個名叫燕燕的姑娘。楊花是高密東北鄉數一數二的美女，為了痲子哥哥，嫁給了燕燕的啞巴哥哥。妹妹為自己做出了巨大的犧牲，洪喜心中十分感動。想起妹妹為啞巴生兒育女，他心情複雜，竟對眼前這個女子生出一些仇恨。啞巴，你糟蹋我妹子，我也饒不了你妹子。

新娘進入洞房，已是正晌光景。一群頑童戳破粉紅窗紙，望著坐在灶上的新娘。一個大嫂拍了洪喜一把，笑嘻嘻地說：「痲子，眞好福氣！水靈靈一朵荷花，輕著點揉搓。」

洪喜手搓著褲縫，嘻嘻地笑著，臉上的痲子一粒粒紅。

太陽高高地掛著，似乎靜止不動。洪喜盼著天黑，在院子裡轉圈。他的娘拄著拐棍過來，叫住兒子，說：「喜，我看著這媳婦神氣不對，你要提防著點，別讓她跑了。」

洪喜道：「不用怕，娘，楊花在那邊拴著她哩，一根線上拴兩個螞蚱，跑不了那一個，就跑不了這一個。」

娘兩個正說著話，就看到新媳婦由兩個女儐陪著，走到院子裡來。洪喜的娘不高興地嘟噥著：「哪有新媳婦坐床不到黑就下來解手的？這主著夫妻不到頭呢，我看她不安好心。」

洪喜被新媳婦的美貌吸引住了。她容長臉兒，細眉高鼻，雙眼細長，像鳳凰的眼睛。她看到了洪喜的臉，怔怔地立住，半袋菸工夫，突然哀嚎一聲，撒腿就往外跑。兩個女儐伸手去拽她的胳膊，嗤，撕裂了那件紅格褂子，露出了她雪白的雙臂，細長的脖子，和胸前那件紅綢子胸衣。

洪喜愣了。他娘用拐棍敲著他的頭，罵道：「傻種，還不去攆？」

他醒過神來，跌跌撞撞追出去。

燕燕在街上飛跑著，頭髮披散開，像鳥的尾巴一樣！

洪喜邊追邊喊：「截住她！截住她！」

村裡的人聞聲而出。一群群人，湧到街上。十幾條凶猛的大狗，伸著頸子狂吠。

燕燕拐下街道，沿著一條胡同，往南跑去。她跑到田野裡。正是小麥揚花的季節，微風徐徐吹，碧綠的麥浪翻滾。燕燕衝進麥浪裡。麥梢齊著她的腰，襯托著她的紅胸衣和白臂膊，像一幅美麗的畫。

跑了新媳婦，是整個高密東北鄉的恥辱。男人們下了狠勁，四面包抄過去。狗也追進麥田，並不時躥跳起來，將身體顯露在麥浪之上。

包圍圈逐漸縮小，燕燕突然前仆，消逝在麥浪之中。

洪喜鬆了一口氣。奔跑的人們也減慢速度，喘著粗氣、拉著手，小心翼翼地往逼，像拉網拿魚一樣。

洪喜心裡發著狠，想像著捉住她之後揍她的情景。

突然，一道紅光從麥浪中躍起，衆人眼花撩亂，往四下裡仰了身子。只見那燕燕揮舞著雙臂，並攏著雙腿，像一隻美麗的大蝴蝶，嫋嫋娜娜地飛出了包圍圈。

人們都呆了，木偶泥神般，看著她搧動著胳膊往前飛行。她飛得速度不快，常人快跑就能踩到她投在地上的影子。高度也只有六、七米。但她飛得十分漂亮。

高密東北鄉雖然出過無數的稀奇古怪事，女人飛行還是第一次。

醒過神來後，人們繼續追趕。有趕回去騎了自行車來了，拚命蹬著車，壓著她的影子追，只要她一落地，就將被擒獲。

飛著的和跑著的在田野裡展開了一場有趣的追捕遊戲。田野裡四處響著人們的呼喚。過路的外鄉人也抬頭觀看奇景。飛著的瀟灑，地上的追捕者卻因仰臉看她，溝溝坎坎上跌跤者無數，亂糟糟如一連敗兵。

後來，燕燕降落在村東老墓田的松林裡。這片黑松林有三畝見方，林下數百個土饅頭裡包孕著東北鄉人的祖先。松樹很多，很老，都像筆一樣，直插到雲霄裡去。老墓田和黑松林是東北鄉最恐怖也最神聖的地方。這裡埋葬著祖先所以神聖，這裡曾經發生過許許多多鬼怪事所以恐怖。

燕燕落在墓田中央最高最大的一株老松樹上。人們追進去，仰臉看著她。她坐在松樹頂梢的一簇細枝上，身體輕輕起伏著。如此豐滿的女子，少說也有一百斤，可那麼細的樹枝竟綽綽有餘地承擔了她的重量，人們心裡都感到納悶。

十幾條狗仰起頭，對著樹上的燕燕狂叫著。

洪喜大聲喊叫：「下來，你給我下來。」

對狗的狂吠和洪喜的喊叫她沒有半點反應，管自悠閑地坐著悠閑地隨風起伏。

衆人看看無奈，漸漸顯出倦怠。幾個頑皮的孩子大聲喊叫著：「新媳婦，新媳婦，再飛一個給我們看。」

燕燕揚揚胳膊。孩子們歡呼：飛啦飛啦又要飛啦。她沒有飛。她用尖尖的手指梳理腦後的頭髮，就像鳥類回頸啄理羽毛一樣。

洪喜撲通跪在地上，哭咧咧地說：「大叔大爺們，大哥大兄弟們，幫俺想想法子弄她下來吧，洪喜娶個媳婦不容易啊！」

這時洪喜的娘被人用毛驢馱著趕到了。她一個翻滾下了驢，跌得哼哼唧唧叫喚。

「在哪？她在哪？」老太太問洪喜。

洪喜指指松樹梢，說：「她在那兒。」

老太太舉手遮住陽光，看到樹梢上的兒媳婦，連聲罵道：「妖精，妖精。」

村裡的尊長鐵山爺爺說：「管她是人是妖，得想法弄她下來，凡事總得有個了結。」

老太太說：「他爺爺，就拜託您老給操持了。」

鐵山老漢道：「這樣吧，一是派人去膠州北鄉把她娘、她哥，還有楊花，都叫來，她要不下樹，咱就留住楊花不回去。二是回去造些弓箭，修些長杆子，實在不行，就動硬的。三是去報告鄉政府，她和洪喜是明媒正娶，受法律保護的夫妻，政府興許能管。就這樣吧，洪喜你在樹下守著，待會兒讓人給你送面鑼來，有什麼變化，你就敲鑼。我看她這模樣，多半是中了邪，回去還要殺條狗，弄點狗血準備著。」

眾人匆匆走散，分頭準備去了。洪喜的娘死活要跟兒子待在一起，鐵山爺爺說：「老嫂子，別癡了，你待在這兒管什麼用？萬一有點事，跑都跑不及，還是回去好。」

鐵山爺爺一說，她也不再堅持，讓人扶上驢背，哭哭啼啼去了。

吵吵嚷嚷的松樹林子裡突然安靜下來，一向以膽大著稱高密東北鄉的洪喜被這寂靜搞得心慌意亂。紅日西下，風在松林裡旋轉著，發出嗚嗚的吼聲。他垂下頭，揉著又酸又硬的脖子，尋了一張石供桌坐下，掏出紙菸，剛要點火，就聽到頭上傳下來一聲冷笑。他的頭髮被激得豎起來，渾身感到冰涼，慌忙滅了火，退後幾步，仰起臉，大聲說：「甭給我裝神弄鬼，早晚我要收拾你。」

他看到夕陽的光輝使燕燕的胸衣像一簇鮮紅的火苗，她的臉上閃閃爍爍，彷彿貼上了許多小金片。沒有任何跡象表明適才那聲冷笑是由燕燕發出。成群的烏鴉正在歸巢，灰白的鴉糞像雨點般落下，有幾團熱呼呼地落在他的頭上。他呸呸地吐著唾沫，感到晦氣透頂。松梢上還是一片輝煌，松林中已經幽黑一片，蝙蝠繞著樹幹靈巧地飛行著，狐狸在墳墓中嗥叫。他又一次感到恐懼。

松林裡似乎活動著無數的精靈，各種各樣的聲音充塞著他的耳朵。頭上的冷笑不斷，每一聲冷笑都使他出一身冷汗。他想起咬破中指能避邪的說法，便一口咬破了中指。尖銳的痛楚使他昏昏沉沉的頭腦清晰了。這時他發現松林裡並不像剛才所見到的那般黑暗，一座座墳墓、一尊尊石碑還清晰可辨，松樹幹的側面上還塗著一些落日的餘暉，有幾只毛茸茸的小狐狸在墳墓間嬉戲著，老狐狸伏在野草叢中看著小狐狸，並不時對他齜牙微笑。仰臉看時，燕燕端坐樹梢，烏鴉圍著她盤旋。

一個很白淨的小男孩從樹幹縫裡鑽過來，遞給他一面鑼、一柄鑼槌、一把斧頭、一張大餅。小男孩說，鐵山爺爺正在領著人們製造弓箭，去膠州北鄉的人也出發了，鄉政府的領導也很重視，很快就會派人來，讓他吃著餅耐心等待，一有情況就敲鑼。

小男孩一轉身就不見了。洪喜把鑼放在石供桌上，將斧頭別在腰裡，大口吃起餅來。吃完了餅，他舉起斧頭，大聲說：「你下不下來？不下來我要砍樹了。」

燕燕沒有聲息。

他揮起斧頭，猛砍了一下樹幹。松樹哆嗦了一下。燕燕無聲無息。斧頭卡在樹裡，拔不出來了。

洪喜想，她是不是死了呢？

他緊緊腰帶，脫掉鞋子，往松樹上爬去。樹皮粗糙，爬起來很省力。爬到半截時，他仰臉看了一下她。只能看到她下垂的長腿和擱在松枝上的臀部。他十分憤怒地想：本來現在是睡你的時候，你卻讓我爬樹。憤怒產生力量。樹幹漸上漸細，有許多分杈，他手把著樹杈，縱身進了樹冠，腳踏樹杈站定，對著她，悄悄伸出手去。他的手觸到她的腳尖時，聽到了一聲悠長的嘆息，頭上一陣松枝晃動，萬點碎光飛超，猶如金鯉魚從碧波中躍出。燕燕揮舞著胳膊，飛離了樹冠，然後四肢舒展，長髮飄飄，滑翔到另一棵松樹上去。他驚恐地發現，燕燕的飛行技術，比之在麥田裡初飛時，有了明顯地提高。

她保持著方才的姿式坐在另一棵樹梢上。她的臉正對著西天的無邊彩霞，像盛開的月季花一樣動人。洪喜哭著說：「燕燕，我的好老婆，跟我回家好好過日子去吧，你要不回去，我也不讓楊花給你啞巴哥哥睡覺——」一語未了，他的腳下嘎叭一聲響——松枝壓斷，洪喜像一塊大肉，實實在在地跌在地上。好久，他手按著腐敗的松針爬起來，扶著樹幹走了兩步，發現除了肌肉痠痛外，骨頭沒有受傷。他仰起臉尋找燕燕，看到天上掛著一輪明月，光華如水，從松樹縫隙中瀉下來，照亮了墳丘一部，墓碑一角，或是青苔一片。燕燕沐浴在月光裡，宛若一隻棲息在樹梢上的美麗大鳥。

松林外有人高聲喊叫他的名字，他大聲答應著。他想起石供桌上的鑼，摸到，卻怎麼也找不到鑼椎。

嘈嘈雜雜的人聲進入了松林，燈籠、火把、手電筒的光芒移動到林間，把月亮的光芒逼退了。

來人很多。他認出了燕燕的老娘、燕燕的啞巴哥哥和自己的妹妹楊花。還認出了身背弓箭的鐵山老爺爺和七、八個村裡的精壯小伙子。他們有的持著長竿，有的扛著鳥槍，有的抱著掮鳥網。還有一位身穿橄欖綠制服、腰扎皮帶、握著公安手槍的英俊青年。他認出英俊青年是鄉公安派出所的警察。

鐵山老爺爺見他鼻青臉腫，問道：「怎麼弄的？」

他說：「沒怎麼弄的。」

燕燕的娘大聲叫著：「她在哪裡？」

有人把手電筒的光柱射上樹梢，照住了她的臉。下邊的人聽到樹梢上嘩啦啦一陣響，看到一個灰暗的大影子無聲無息地滑行到另一棵松樹上去了。

燕燕的娘惱怒地罵起來：「雜種們，你們一定是合夥把俺閨女暗害了，然後編排謊言胡弄我們孤兒寡母。俺閨女是個人，怎麼能像夜貓子一樣飛來飛去？」

鐵山老爺爺說：「老嫂子，您先別著急，這事兒如不是親眼看見，誰也不會相信。我問你，這閨女在家裡時，可曾拜過師？學過藝？結交過巫婆、神漢？」

燕燕的娘說：「俺閨女既沒拜過師，也沒學過藝，更沒結交過巫婆神漢，我眼盯著她長大，她自小本分安然，左鄰右舍誰不誇？怎麼好好個孩子，到你們家一天，就變成老鷹上了樹？不把話說明白，我不能算完。不交還我燕燕，我也不會放掉楊花。」

警察說：「大娘，先別吵，您注意看樹上。」

警察舉起手電筒，瞄準樹上的暗影，突然推上電門，一道雪亮的光柱正射在燕燕的臉上。她揮舞手臂，飛起來，滑行到另外的樹梢上去了。

警察問：「大娘，看清了嗎？」

燕燕的娘說：「看清了。」

「是您的女兒嗎?」

「是我的女兒。」

警察說:「大娘,我們不想動武,閨女最聽娘的話,還是您把她喚下來吧。」

這時候,燕燕的啞巴哥哥興奮得嗷嗷亂叫,雙手比劃著,好像在摹仿他妹妹的飛行動作。

燕燕的娘哭著說:「不知道前世造了什麼孽,別人碰不上的事都叫我碰上了。」

警察說:「大娘,先別忙著哭,把閨女喚下來要緊。」

「這閨女自小性子倔,只怕我也叫不動她。」燕燕的娘爲難地說。

警察道:「大娘,您就別謙虛了,快叫吧。」

燕燕的娘挪動著小脚,走到梢上栖著女兒的那株松樹下,仰起臉,哭著說:「燕燕,好孩子,聽娘的話,下來吧……娘知道你心裡委屈,但這是沒有法子的事……你要是不下來,咱也留不住楊花,那樣的話,咱這家子人就算完了……」

老太太放聲大哭起來,一邊哭,一邊把腦袋往樹幹上撞著,樹梢上傳下來綷綷之聲,好像鳥兒在摩擦羽毛。

警察道：「繼續，繼續。」

啞巴揮動手臂，對著樹梢上的妹妹吼叫。

洪喜大喊：「燕燕，你還是個人嗎？你要有一點點人味，就該下來！」

楊花哭著說：「嫂子，下來吧，咱姐妹兩是一樣的苦命人……俺哥再難看，還能說話，可你哥……姐姐，下來吧，認命吧……」

燕燕從樹梢上飛起，在人們頭上轉著圈滑翔。一陣陣的涼露下落，好像她灑下的淚水。

「都閃開，都閃開，讓她落下來。」鐵山老爺爺大聲說。

人們紛紛退後，只留下老太太和楊花在中央。

但事情並不像鐵山老爺爺想像的那樣。燕燕滑翔良久，最終還是落在樹梢上。眼見著月亮偏西，已是後半夜時分，人們又困又倦又冷。警察道：「只好來硬的了。」

鐵山老爺爺說：「我擔心她受驚飛出樹林，今夜捉不住，以後就更難捉了。」

警察說：「據我觀察，她還不具備長距離飛行的能力，飛出樹林，會更容易捕捉。」

鐵山老爺爺道：「只怕她娘家人不依。」

警察說：「我來處理吧。」

警察走上前去，吩咐幾個小伙子把啞巴和老太太領到樹林子外邊。老太太哭癡了，絲毫不反抗。啞巴嗷嗷叫，警察舉起手槍在他面前晃晃，他也乖乖地走了。樹林裡只餘下警察、鐵山老爺爺、洪喜，和一個持棍棒，一個持搧鳥網的小伙子。

警察道：「槍聲驚擾百姓，不好，還是用弓箭射。」

鐵山老爺爺說：「我老眼昏花，看不清楚，萬一傷了她的要害處，就不好了，還是由洪喜來射。」

他把那張用大竹彎成的弓遞給洪喜，又遞給他一枝尾扎羽毛的利箭。

洪喜接過弓箭，沉思片刻，忽然醒悟般地說：「我不射，我不能射，我不願射，她是我的老婆嗎？她是我老婆。」

鐵山老爺爺說：「洪喜，你好胡塗呀！抱在懷裡才是你老婆，坐在樹上的是一隻怪鳥。」

警察說：「你們這些人，粘粘糊糊的，什麼也幹不成！把弓箭給我。」

他把槍揷在腰裡，接過弓箭，左手拉弓，右手扣弦，瞄著樹梢上的影子親切，脫手放了一箭。只聽得噗哧一聲響，顯然是箭鏃鑽入皮肉的聲音。樹梢上一陣騷動，他們看到燕燕腹部帶著箭飛起在月色中，沈甸甸地砸在附近一棵矮松上。她的身體分明失去了平衡。警察又搭上一支箭，瞄著橫陳在矮松上的燕燕喊一聲：「下來！」聲音出口，利箭脫弦，樹梢上一聲慘叫，燕燕頭重脚輕，倒栽下來。

洪喜哭著罵起來：「操你媽，你把我老婆射死了……」

躲在松林外的人打著燈籠火把圍上來，一齊焦急地問：「射死了沒有？她身上是不是生出了羽毛？」

鐵山老爺爺一言不發，拎起一桶狗血，澆在燕燕身上。

初戀

我九歲那年，已是小學三年級學生了。

班裡的學生年齡距離拉得很大，最小的是我，最大的杜風雨，已是個十六歲的小伙子了。他的個頭比我們班主任還要高，他臉上的粉刺比我們班主任臉上的還要多。很自然地，他成了我們班上的小霸王。更由於他家是響噹噹的赤貧農，上溯三代都是叫花子，他娘經常被學校裡請來做訴苦報告，鼻涕一把淚一把地說如何冒著大風雪去討飯，又如何在風雨之夜把杜風雨生在地主家的磨道裡。我們班主任家是富裕中農，腰桿子很軟，所以，面對著根紅苗正、橫眉立目、滿臉粉刺的無產階級後代的胡作非爲，連屁都不敢放一個。

我們的教室原先是兩間村裡養羊的廂房，每逢陰雨潮濕天氣就發散羊味。廂房北頭的三間正房是鄉裡的電話總機室，有很多電線從窗戶裡拉出來，拴在電線杆子上，又延伸到不知何處去。看守電話總機的是一個操著外地口音的年輕女人。她的臉很白，身體很胖。那時我並不知道什麼是沙發什麼是麵包，但村裡的一個老流氓對我說看電話女人的奶像麵包肚皮像沙發。她有兩個女孩，模樣極不相似。村裡的光棍兒見了她們就說：「大平小平，我是你爸。」倆女孩起初很乖地呼光棍兒爸爸，後來不呼了。後來光棍兒再自封爲爸爸時，倆女孩便像唱歌一樣喊：「操你的親娘！」看電話女人家裡出出進進著許多穿戴整齊的鄉鎮幹部，我們在課堂上，聽到調笑聲從總機房裡飛出來。我隱約感到，那裡邊有很多美好的事情。有一天晚上，我去同學家看小貓，路過總機房，看到總機窗外站著一個人，走近了發現那人是班主任。

我不知道爲什麼總讓我們那位年輕的、滿臉粉刺的班主任不滿意。他經常毫無道理把我揪出教室，讓我站在電話總機房外的電線杆下罰站，一站數小時，如果是夏天，必定晒得頭昏眼黑，滿臉汗水。

班裡只有兩個女生，一個是我叔叔的女兒，另一個姓杜，叫什麼名字忘記了。她的雙腳都是六個指頭，腳掌寬闊，像小蒲扇一樣，我們叫她六指。六指長得不好看，還有偷人鉛筆橡皮的小毛病，家庭出身也不算好，在班裡很受歧視。我猜想我和六指是最被班主任厭惡的學生了，所以他把我和她安排在一張課桌前，坐在一條板凳上。雖然我和六指個頭最矮，班主任卻讓我們坐在最後一排。

與六指同坐一條凳子，我感到十分恥辱，心裡的難受勁兒無法形容，而杜風雨這個鱉羔子還硬說我跟六指坐一條凳子要成爲夫妻了。我當時並不曉得自己長得比六指還要醜，讓我與她同坐一凳已是奇恥大辱，再讓我與她成夫妻，簡直是要了命！我的淚水嘩嘩地流出來，我哽咽著大罵杜風雨，杜風雨揮起拳頭，在我頭上一擂，就讓我一屁股坐在了地上。

我坐在地上哭著，沒聽到上課的鈴聲敲響，卻看到班主任牽著一個頭髮上別著一隻紅色塑料蝴蝶形卡子，上身穿一件紅方格褂子，下身穿一條紅方格褲子的女孩走了過來。

班主任端著一盒彩色粉筆，夾著一根教鞭，牽著女孩的手，徑直朝教室走，好像根本沒看到我的醜臉也沒聽到我的嚎哭，可是他身邊那個漂亮女孩卻很認眞地看了我一眼。她的眼睛是那樣的美麗，漆黑的眼仁兒，水汪汪的，像新鮮葡萄一樣。她看我一眼，我的心裡頓時充滿說不清楚的滋味，竟忘了哭，痴呆呆地沉醉在她的眼神裡。

班主任牽著女孩走進教室去了，我痴想了一會，站起來，用衣袖子擦擦鼻涕眼淚，戰戰兢兢溜進教室。班裡同學們都用少有的端正姿態坐著，看著黑板前面的班主任和那個女孩。

我悄悄地坐在六指身邊。我看到班主任凶惡地剜了我一眼，那個女孩，又用那兩只美麗的眼睛，探詢似地望了我一下。

班主任說：「同學們，這是我們班新來的同學，她的名字叫張若蘭。張若蘭同學是革命幹部子女，身上有許多寶貴品質，希望大家向她學習。」

我們一齊鼓掌，表示對美麗的張若蘭的歡迎。

班主任說：「張若蘭同學學習好，從現在起，她就是我們班的學習委員了。」

我們又鼓掌。

班主任說：「張若蘭同學唱歌特別好，我們歡迎她唱支歌吧！」

我們再鼓掌。

張若蘭臉不變色，大大方方地唱起來：

「藍藍的天上白雲飄，白雲下面馬兒跑……」

哎喲我的個親娘喲！張若蘭，不平凡，歌聲比蜜還要甜。你說人家的爹娘是怎麼生的她？同學們聽呆了。

我們使勁鼓掌。

班主任說：「張若蘭兼任我們班的文體委員。」

我們剛要鼓掌，杜風雨虎一樣站起來，問班主任：「你讓她當文體委員，我當什麼？」

班主任想了想，說：「你當勞動委員吧。」

杜風雨噘著嘴剛要坐下，班主任說：「你甭坐了，搬到後排去，這個位子讓給張若蘭。」

杜風雨挾著破書包，嘟嘟噥噥地罵著，穿過教室，坐在最後一排爲他特設的一個專座上。

張若蘭坐在杜風雨空出來的位子上，與我的堂姐共坐一條板凳。

杜風雨被貶到後排，我心裡暗暗高興。張若蘭一來，杜風雨就倒霉，張若蘭替我報了仇，張若蘭眞是個好張若蘭。我無限眷戀地看著張若蘭，看著她美麗的眼睛像紫葡萄一樣，看著她紅撲撲的臉蛋像成熟的蘋果一樣，看著她嘴角的微笑像甘甜的蜂蜜一樣，看著她鮮艷的雙唇像櫻桃一樣，看著她潔白的牙齒像貝殼的內裡一樣，看著她輕快的步伐像矯健的小鹿一樣。她臨就座前，對著我的堂姐莞爾一笑，我的淚水竟然莫名其妙地盈眶而出。她端正地坐下了，我的目光繞過同學們的脊背，定在張若蘭的背上，定在那件紅格子上衣的紅格子裡。這一課，班主任講了什麼？我不知道。

由於來了張若蘭，黑暗枯燥的學校生活突然變得綠草茵茵鮮花開放。在張若蘭來之前，我煩死了怕死了恨死了學校，我多次央求爹娘：別讓我上學了，讓我在家放牧牛羊吧。自從來了張若蘭，我最怕星期六，星期六下午，我心中的太陽張若蘭就背著她的皮革書包，穿著她的花格子衣服，頂著她的蝴蝶卡子，蹦蹦跳跳地過了河上的小石橋，到她的在鄉政府大院中的家裡去，使我無法看到她。

每到星期天，我就像丟了魂一樣，不想吃飯也不想喝水。家裡不讓我放羊我也要去放羊。我牽著羊，過了河，在鄉政府大院前來回逡巡。鄉政府門前空地上那幾蓬老枯的野草早就被那兩隻綿羊啃得禿禿了，羊兒餓得「咩咩」叫，但我不滿足它們想到青草豐茂的荒地裡去吃草的願望。我把它們拴在鄉政府門前的樹上，讓它們啃樹皮。我呢？我坐在樹邊的空地上，眼巴巴地望著鄉政府的大門口，看著出出進進的人，盼望著張若蘭能突然出現在我的面前。我一遍又一遍地鼓勵自己：等一會兒，等一會兒，再等一會兒……

我的秘密終於被祖父從兩隻綿羊乾癟的肚子上發現了，但家裡人對我爲什麼要到鄉政府大門前去放羊的心理動機並不清楚。一頓打罵之後，我逃到大門外哭泣。我的堂姐拿著個熱地瓜來找我，她把地瓜遞給我，說：「我知道你爲什麼要到那裡去放羊，我願意爲你保守秘密，但你必須把那本《封神榜》借給我看一個星期。」

我有一本用兩個大爆竹從鄰村的孩子手裡換來的連環畫《封神榜》，紙是土黃色的，開本比當時流行的連環畫要大，上邊畫著能從鼻孔裡射出金光奪人魂魄的鄭倫，眼裡生手手上生眼的楊任，騎虎道人申公豹，會土遁的土行孫，生著兩隻大翅膀的雷震子，還有抽龍筋揭龍鱗的哪吒……大個子杜風雨用拳頭威逼我我都沒有給他看，但我把這本藏在牆洞裡的寶書毫不猶豫地借給了我堂姐。

張若蘭來了一個月左右，班裡出了一件大事。班主任在課堂上嚴肅地說：「同學們，有人偷食了電話總機家懸掛在屋檐下晾晒的一串乾地瓜，最好自己交代，等到被別人揭發出來就不光彩了。」

我感到班主任含意深長地看了我一眼，心裡頓時發了虛，雖然我沒偷乾地瓜，但竟像就是我偷了乾地瓜一樣。我的屁股擰來擰去，擰得板凳腿響，擰得六指不耐煩了，她大聲說：「你屁股上長尖兒嗎？擰什麼擰？」

她的話把老師和同學的目光全招引到了我身上，他們一齊盯著我，好像我確鑿就是那個偷地瓜的賊。我鼻子一酸，嗚嗚地哭起來了。這時，奸賊杜風雨大聲喊：「地瓜就是他偷的，昨天我親眼看到他蹲在廁所裡吃乾地瓜，我跟他要，他死活不給我。」

我想辯解，但嗓子眼像被什麼堵死了一樣，一個字也說不出來。

班主任走過來，無限厭惡、極端蔑視地看著我，冷峻地說：「看你那個死熊樣子！給我滾出去哭！」

狗腿子杜風雨遵照班主任的指示，凶狠地揪著我的頭髮，把我拖到總機窗外的電線杆下，並且大聲地對著機房裡吼：「偷你家乾地瓜吃的小偷抓住了，快出來看看吧！」

頭上戴著耳機子的那個白胖女人從高高的窗戶上探出頭來，看了我一眼，操著一口悠長的外縣口音說：「這麼點兒個孩芽子就學著偷，長大了篤定是個土匪！」

我屈辱地站在電線杆下，讓驕陽曝晒著我的頭。電話總機家那兩個小女孩跑出來，從墻角上揀了一些小磚頭，笨拙地投我，一邊投一邊喊：「小偷，小偷，癩皮狗，鑽陰溝。」

我自覺著馬上就要哭死了的時候，眼前紅光一閃，張若蘭來了。

我的頭死勁垂下去。

張若蘭用她潔淨的神仙手扯扯我的衣角，用她的響鈴喉對我說：「大哭瓜，哭夠了沒有？我知道乾地瓜不是你偷的。」

張若蘭把我領回教室，從書包裡摸出一塊乾地瓜，舉起手來，說：「報告老師，這是個冤案，乾地瓜是杜風雨偷的。」

所有的目光都從張若蘭手上轉移到杜風雨臉上。杜風雨大吼：「你造謠！」

張若蘭說：「這塊乾地瓜是杜風雨硬送給我的，誰希罕！他的書包裡還有好多乾地瓜，不信就翻翻看！」

沒人敢翻杜風雨。張若蘭跑過去，搶了他的書包，提著角一抖擻，稀哩嘩啦，全出來了。乾地瓜，王勝丟了的圓珠筆，李立福丟了的橡皮，王大才丟了的玻璃萬花筒……都從他的書包裡掉出來了。原來杜風雨是眞正的賊，而我們一直認爲這些東西是被六指偷走了。

六指跳起來，罵道：「我操你親娘杜風雨，你姓杜，我也姓杜，論輩我是你姑姑，你黑了心害我，我跟你拚了吧！」

班主任讓杜風雨站起來。杜風雨站起來，歪著頭，用髒指甲摳墻皮。

班主任底氣不足地問：「是你偷的嗎？」

杜風雨雙眼向上，望著屋頂，鼻子裡噴出一股表示輕蔑的氣。

班主任說：「你給我出去。」

杜風雨說：「出去就出去！」

他把那幾本爛狗皮一樣的破書往書包裡一塞，提著班主任的名字罵道：「操你個媽，有朝一日我掌了權，非宰了你這個富裕中農不可！」

杜風雨掀翻了那張破桌子，氣昂昂地走了。

班主任臉色焦黃，彎著腰站在講台上，嘴唇直哆嗦。好半天，他直起腰，說：「下課。」緊接著這句話的尾巴他咳了幾聲，臉上像塗了金粉一樣，黃燦燦的，一張嘴，一口鮮血噴出來。

張若蘭幫我洗清了冤枉，我對她的感激簡直沒法說。本來我就像痴了一樣迷戀著她，再加上這一重水深火熱的恩情，我便是火上澆油、錦上添花、痴上加痴。去鄉政府大門外放羊是再也不敢了，更沒闖進鄉政府大院去找她的膽量。我只能利用每周在校的那短暫得如電一般的五天半時間，多多地注視她，連走到她面前，同她說句話的勇氣都沒有。

有一天，家裡來了一位親戚，送給我們四個蘋果。親戚走了，那四個蘋果擺在桌上，紅紅的，宛若張若蘭的臉蛋兒，散發著濃烈的香氣。我不錯眼珠地盯著它們。祖母撇撇嘴，拿走了兩個蘋果，對我母親和我嬸嬸說：「每人拿一個回去，分給孩子們吃了吧。」

母親把那個鮮紅的蘋果拿回我們屋裡，找了一把菜刀，準備把蘋果切開，讓我們兄弟姐妹分而食之。一股很大的勇氣促使我握住了母親的手腕子。我結結巴巴地請求道：「娘……能不能不切……」

母親看著我，說：「這是個稀罕物兒，切開，讓你哥哥姐姐都嚐嚐。」

我羞澀地說：「並不是我要吃……我要……」

娘嘆了口氣，說：「你不吃，要它幹什麼？饞兒啊！」

我鼓足勇氣，說：「娘……我有一個同學叫張若蘭……」

娘警惕地問：「男生還是女生？」

我說：「女生。」

娘問：「你要把蘋果給她？」

我點點頭。

母親再沒問什麼，把菜刀放在一邊，用衣襟把那紅蘋果擦了擦，鄭重地遞給我，說：「藏到你的書包裡去吧。」

這一夜我無法安眠。

天剛亮，我就爬起來，背上書包，躥出了家門。母親在背後喊我，我沒有回答。我用一隻手緊緊地按著書包裡的蘋果，在朦朧著晨霧的胡同裡跑。我鑽過一道爬滿了豆角和牽牛花的籬笆，爬上了高高的河堤，逆著清涼河水的流向，跑到了那座黑瘦小石橋的橋頭上。

我手扶著橋頭上那根冰涼的石柱子，開始了甜蜜的等待。幾個早起擔水的男人從我身邊擦過去，我感受到了他們身上熱烘烘的氣息。他們都用疑惑的目光看著我，看著一個頭髮蓬亂、衣衫襤褸、滿臉污垢的小男孩。

太陽出來了，照耀得滿河通紅。擔水的男人站在橋中央，劈開腿，彎著腰，把盛滿了清清河水的水桶從下面提上來，那麼多的亮晶晶的水珠兒從水桶的邊緣上無聲無息地落到河裡去了。一條皮毛油滑的黑狗在河堤上懶洋洋地走著，一隻公雞站在一個草垛頂上發呆，一縷縷乳白色的炊煙從各家的煙囪裡筆直地升起，這就是清晨風景。我來的太早了，但我不後悔，我知道每熬過一分鐘就離那個整夜在我腦海裡盤旋的情景近一分鐘。如果她穿著紅衣服出現在小橋的那頭，我就從小橋的這頭跑過去，與她相逢在橋中央。當她驚訝地看著我時，我就雙手捧著紅蘋果送到她面前，我要說：親愛的張若蘭同學，謝謝你在我最困難的時候幫助了我。我把蘋果放在她手裡，轉身跑走，迎著朝陽，唱著歌子，像歡快的小鳥一樣……。

張若蘭終於出現在小石橋的那頭，她沒穿那套給我留下深刻印象的紅衣服，她穿著一套泛白的藍衣服，一個高大的男人，一邊走一邊撫摸著她的頭髮。勇氣頓時消失，我像小偷一樣從石柱子旁邊跳開，鑽到橋頭附近的灌木叢中去，生怕被張若蘭發現。我聽到張若蘭說：「爸爸，你回去吧，那個杜風雨被你教訓後，再也不敢找我的麻煩了。」

我看到張若蘭的爸爸對著張若蘭招招手，轉身走了。我聽到張若蘭哼著小曲兒，從我的身邊走過去了。我用一隻手捂著書包裡的蘋果，彎著腰，在灌木叢中飛一樣地穿行著。我一定要攔住張若蘭，把蘋果遞到她手中。

我從學校附近的一垛柴草後邊跳出來，氣喘吁吁地擋住了張若蘭。張若蘭「啊」了一聲，定定神，厲聲喝道：「金斗，你想幹什麼？」

我的心砰砰地跳著，想把那幾句背誦了數百遍的話說給她聽，但是我張不開嘴，我想把那顆鮮紅的蘋果從書包裡摸出來給她，但是我動不了手。

張若蘭對著我的鋪在地上的長長的影子啐了一口唾沫，然後昂頭挺胸，從我的身邊高傲地走過去了。

糧食

正午時分，伊拖著腫脹得透明的雙腿一步步捱到家。伊沉重地坐在那條腐朽的門檻上時，依然覺得暈眩，好像仍然在磨道裡旋轉，耳畔響著隆隆的磨聲。伊的兩個孩子撲上來。大一點那個嘴裡嚷著餓，手伸進伊的衣兜裡掏摸著。小一點那個雖滿三周歲了，但步履還不穩，話也說不成句，嘈嘈著跌到伊胸前，用烏黑的手掀起伊的衣襟，將一只乾癟的乳房叼在嘴裡，惡狠狠地吮著。大一點那個名叫福生，在伊的衣兜裡一無所獲，失望地哭起來。小一點的這個壽生，從伊的乳房裡同樣一無所獲，吐掉那皺裂的乳頭，坐在地上，失望地哭起來。伊心中酸酸的、麻麻的，嘆息一聲，手扶著門框，慢慢站起來。

伊的婆母手拄著一根舊傘柄，弓著腰從裡屋裡出來。婆母亂蓬蓬，一頭白髮，緊閉著雙眼，用傘柄篤篤地探索著道路，大聲地吵著：「你們娘幾個，又在偷吃什麼？咹？你們吃什麼呢？」

伊心中不舒坦，挺起嗓門回答道：「婆婆，您也是八十歲的人了，說話恁般無理！有什麼好吃的能不給您先吃呢？真是越老越糊塗了。」

婆婆癟癟嘴，竟像個小孩子一樣，嗚嗚地哭起來，一邊哭一邊用傘柄敲打著紅銹的鍋沿，嘴裡嚷著：「你們欺負我老，欺負我瞎了眼，把好東西都偷吃了，想把我餓死，這是什麼世道哇，老天爺啊，救救我吧，我餓死了……。」

伊沒有反駁婆母的呼天搶地。伊知道這個瞎眼的老太婆早就神志不清了，沒有什麼道理好講的。伊鼓起力氣罵那兩個嚎哭的兒子：

「嚎吧嚎吧，都死了去吧……。」

伊罵著，有兩滴涼森森的淚水便從乾涸的眼窩裡滲了出來。

「娘啊，餓死了呀……。」福生拽著伊的衣衫哭叫。

「娘……餓……。」壽生抱著伊的脚哭叫。

伊低頭看著眼前這兩個瘦得如毛猴一樣的兒子，喉嚨憋得厲害，頭暈得團團旋轉，幾乎站不住。伊手扶著門框，擦擦眼，問大一點的福生：「你姐呢，怎麼還沒回來？」

伊說完話，走到門外，往胡同裡望去，隔著幾棵剝光了皮的榆樹，伊看到有一隻很大的盛滿野菜的筐子壓著一個彎腰如鉤的女孩歪歪斜斜地移過來。一股細細的暖流在伊心中湧著，快幾步迎上去，把著筐鼻兒，把滿筐野菜從女兒背上卸下來。

女孩慢慢地展開細細的腰，細細地叫了一聲娘。

伊問：「梅生，你怎麼才回來，不知道家裡等著菜下鍋？」

女孩噘著嘴，淚水在眼眶裡打轉兒。

伊翻著筐裡的野菜，挑剔地說：「啊，這是些什麼？婆婆丁，野蒿子，這能吃嗎？」

伊抓起一把野蒿子放到鼻下嗅嗅，又把野蒿子觸到女孩鼻下，不滿地說：「你自己聞聞，什麼味道？怎麼能吃下去？」

女孩抽抽嗒嗒地哭起來，一邊哭一邊用握著鐮刀的手搓眼睛。

伊說：「你還委屈是不？十四歲的東西了，連筐野菜都剜不來家，養你還有什麼用？不是讓你剜那些扁蓄、苦菜、馬齒莧、灰灰菜嗎？你還有臉哭！」

伊氣喘吁吁地說著，還把一根指頭戳到女孩的額頭上。

女孩哇地一聲哭大了。伊怒上來，也哭了，用脚去踢女孩。女孩捂著臉，只哭，不動。

鄰居趙二奶奶出來，勸道：「梅生娘，大晌午頭兒，打孩子做甚麼？」

伊憤憤地說：「死吧，都死了利索！」嘴裡發著狠，眼淚卻流了出來。

趙二奶奶勸著：「回去吧，回去吧，梅生是勤快閨女，這不是剜了一大筐嗎？」

伊說：「二奶奶，你看她剜了些什麼！」

趙二奶奶從筐裡抓了一把野蒿子看看，說：「梅生娘，這又是你的不是了，你在磨房裡拉了一春磨，不知道田野裡的情景。曲曲芽、灰灰菜是比這苦蒿子好吃，可到哪裡去剜？滿中國都鬧饑荒呢，再下去幾天，只怕連這野蒿子都吃不上了。」

伊馬上明白委屈了女兒，便嘆一口氣，搬著筐，說：「別哭了，回家吧。」

梅生抽泣著，跟著伊，回到自家院裡。

伊看到梅生撲到水缸邊，舀了半瓢水，咕咕嘟嘟往嘴裡灌著。伊想說幾句慰藉女兒的話，但終究沒說出口。

婆婆也摸到院子裡來了。老太婆罵累了，暫時閉住嘴，雙手拄著傘柄，仰著臉，對著高懸中天的艷麗太陽。明媚的陽光照耀著那張金黃色的臉，反射出綠綠的光線來。

伊將薰人的野蒿放在捶布石上，用一根木棒棰砸著。綠色的汁液沿著白色的石頭流下來，苦辣的味道在院子裡洋溢著。

女孩喝完水，懂事地對伊說：「娘，你歇一會兒吧，我來砸。」

伊看著女兒乾巴巴的小黃臉，想哭，但卻沒有眼淚流下來。伊說：「我砸野菜，你把觀音土篩一篩吧。」

梅生答應著，從墻甬路上搬一塊灰褐色的觀音土，放在甬路中央，用一柄木錘子砸一陣，然後將碎土捧到籮裡，來回篩動著，細如粉面的觀音土便紛紛揚揚地落在面前了。

伊讓梅生把篩出的細土盛過來，與砸爛的野菜攪和在一起，揑成一個個拳大的團子，擺在一塊木板上。

伊與女兒將一木板菜團子抬到屋裡，裝到鍋裡。蓋好鍋蓋後，伊讓梅生在鍋下燒火，伊便挪到墻角上吐黃水。

兩個男孩盯著灶裡跳動的火，像等待什麼奇蹟出現。

伊吐了一陣黃水，挪回來，見鍋沿上已有白汽冒出，便吩咐梅生停了火。伊揭了鍋蓋，見那些用奇異原料製成的團子明晃晃的，宛若騾馬的糞便。一股難以說清的味道撲進伊的鼻腔。

伊一家圍著鍋台，像參拜神物一樣，看著鍋裡的東西。兩個男孩迫不及待地伸出手來。伊罵退了他們。伊用筷子挿起一個團子，先自己咬一口，只覺得一股毒藥般的味道在口中散開，腹中的黃水洶湧上來。伊強忍著不吐，把口中東西和滿食道的黃水一起嚥下去。

伊說：「吃吧。」

下午，伊感到精神不錯，那奇異的食物儘管味道惡劣，但畢竟使空蕩蕩的胃腸有了沉甸甸的感覺。胃裡沉甸甸的，伊自覺脚下也有了根基，不像往日那樣，輕飄飄的，隨時都會飛起來似的。

伊與七個女人在兩盤大石磨上工作，四個人一盤。女人們都是小脚，走起路來都很艱難，但也正因爲這小脚，才沒把她們趕到修水庫的工地上去。

負責磨坊的王保管是個殘廢軍人，瘸著一條腿，疤著半個臉，樣子很凶。他看到伊走過來時，從椅子上起來，大聲說：「你是幹什麼吃的？咹，別人都來了，就等你一個哩，你難道不知道工地上急等麵粉吃嗎？」

伊連忙低著頭認錯。

伊進到磨坊裡，看到與自己同拉一盤石磨的孫家大娘、馬家二嬸、李家嫂子業已把套繩掛在肩上，伸著脖子發力，使那磨隆隆地轉著，灰白的麵粉從石磨的溝槽裡淅淅瀝瀝地落下來，宛若枯澀的雪。伊慚愧得慌忙忙地套上肩繩，手把著磨棍亂使出了大力氣。孫家大娘在伊身後輕柔地說：「梅生娘，悠著點勁兒吧，這個幹法如何能熬到天黑？」其餘二人也在伊身前身後說了同樣意思的話。伊滿心裡都是溫暖，使出的氣力更大了。

孫家大娘笑著說：「梅生娘，午飯吃了大魚大肉了吧，這猛勁兒，小毛驢子一樣。」

伊咧咧嘴，說：「吃大魚大肉？等下輩子了。今晌午，用觀音土摻野蒿搓了一鍋團子。」

「怎麼，」馬二嬸驚訝地問，「你倒底吃了觀音土？」

李大嫂說：「聽俺家老人說，那東西吃下去，早晚會把人墜死哩。」

伊幽幽地說：「這樣的歲月，早死一天是一天的福氣。」

孫大娘勸道：「梅生娘，你才三十幾歲的人，可別說這喪氣話，咬咬牙，把孩子拉扯大了，你就熬出頭了。」

伊不說什麼，只是搖頭。

李大嫂憤憤不平地說：「我就不信，王大哥那麼忠厚的人，還會下狠心把耕牛毒死。」

孫大娘說：「你就閉嘴吧。這年頭，屈死的鬼成千上萬哩！」

馬二嬸壓低嗓門問說：「梅生娘，你太老實了，磨坊裡餓死了驢？怨你死心眼兒。」

這時，王保管提著一枝長桿大菸袋，進了磨坊，眼睛凶凶地把這八個拉磨的娘們睃了一遍，說：「各人都小心點，生糧食吞下去難消化哩！」

李大嫂嘻嘻笑著，說：「王大哥，你要不放心，何不搬條凳子來坐在這兒？」

王保管說：「八個臊老婆的味兒誰受得了？」

李大嫂又道：「你說俺臊，可俺男人說俺香呢！」

王保管啐了一口，一拐一拐地走了。

下午磨的是豌豆，磨膛裡嘩嘩叭叭地脆響著，清幽幽的香味兒在潮濕、陰暗的磨坊裡飄漾著。伊嗅著豌豆粉的香味兒，腸胃一陣陣痙攣絞痛。伊咬緊牙關不吭氣，但冷汗卻把肩背都濕了。伊脖子一抻一抻地走著，宛若一只掙命的鵝。隆隆的磨聲彷彿輕飄飄的雲朵，漸漸地漂遠了。伊恍恍惚惚地看到，孫家大娘把手伸到磨頂上，抓了一把豌豆掩到嘴裡去。馬家二嬸、李家大嫂都偷著空子往嘴巴裡掩豌豆。伊還發現，另盤石磨上的女人們也都在幹著同樣的事。張家大嫂又抓起一把豌豆往嘴裡掩的時候，對伊使了一個鼓勵的眼色；馬家二嬸也低聲在伊身後說：「吃呀，你這傻種！」

豌豆的味道對伊施放著強烈的誘惑。伊的手幾次就要伸到磨盤上去，又怯怯地縮回來。伊知道，同樣的事情，孫大娘可以幹，馬二嬸可以幹，李大嫂也可以幹，唯獨自己不能幹。伊的丈夫是富農，前不久，因爲毒死社裡的耕牛，被送到勞改營裡去了。伊不明白丈夫爲什麼要毒死耕牛。伊想著丈夫被抓時的情景，心裡冰涼。

馬家二嬸從背後戳戳伊的腰，伊果斷地搖搖頭。

馬家二嬸說：「你這樣下去，只有死路一條了。」

伊的腹部絞痛起來，很多汗珠從臉上滾下。起初伊還硬撐著，但終於栽倒了。伊於迷昏中聽到女人們大聲地咋呼，並感到身體被抬了起來。伊感到幾隻女人手正在按摩著自己的肚皮，並聽到周圍一片嘆息聲。伊嘔吐了，有一些粘稠的東西奔湧而出，痛疼立即便減輕了。

伊擦了一下嘴臉，有氣無力地向周圍的女人道謝，女人們便又唏噓。王保管過來，忿忿地說：「幹什麼？都給我拉磨去！」

馬二嬸說：「你這個瘸種，一顆心比鵝卵石還要硬。」

王保管說：「階級鬥爭，不硬行嗎？」

馬二嬸道：「好你個王瘸雜種，俺家可是貧雇農。」

王保管說：「貧雇農裡也出叛徒哩。」

眾婆娘七嘴八舌攻擊王保管，他臉脹紅著，催促她們拉磨。

婆娘們勸伊回家歇著去，伊搖搖頭，硬挺著，回到磨邊。馬二嬸低聲勸道：「梅生娘，這年頭，人早就不是人了，沒有面子，也沒有羞恥，能明搶的明搶，不能明搶的暗偷，守著糧食，不能活活餓死！」言罷，抓起一把豌豆，硬塞到伊的嘴裡去。伊的心砰砰地狂跳著，環顧左右，見婆娘們都在毫不客氣地吃，也就運動牙齒，咀嚼起來。伊聽到豌豆被咬破的聲音很大，不由地心驚肉跳，但糧食的驚心動魄、牽腸掛肚的味道轉瞬間即把恐懼蓋住了。伊終於伸出了手，抓一把豌豆，塞到嘴裡。

下工前，磨道裡十分昏暗，棲息在梁頭上的蝙蝠從窗欞間飛進飛去，捕食著飛蟲。伊的肚皮很脹，但這是幸福的脹。伊看到女人們都在趁著昏暗，將大把的豌豆塞到褲腰裡去。伊呆了。馬二嬸暗中戳伊，說：「傻種，裝呀，你吃飽了，孩子呢？」

伊一橫心，抓把豌豆，往褲裡一塞，感到那些光滑圓潤的豆粒兒，沿著大腿，撲嚕嚕，直滾下去，聚集在脚脖子之上。伊又抓了兩把，便膽寒了。聽到王保管在外吼：「下工了！」

女人們裝做沒事人兒一樣，甩著手，走出磨房。院子裡的光明讓伊大吃了一驚。伊感到腿一陣陣發軟，心跳如鼓，低著頭，不敢邁步。

王保管冷笑著過來，說：「好哇，倒底顯了形了！」

馬二嬸護著伊，說：「王瘸，嬸子明日給你找個媳婦。」

王保管用菸袋將馬二嬸格開，說：「別怪我不客氣。」

伊嚇傻了，不會說，也不敢動。

王保管把菸袋別在腰裡，伸出兩隻大手，沿著伊的身體往下摸。

馬二嬸說：「瘸腿，你就缺德吧！」

王保管的雙手，摸到伊的小腿處，停了一下，站起來，命令道：「解開扎腿帶子。」

伊哭著跪下了，嘴裡央求著。

女人們還想說什麼，王保管火了，說：「臭婆娘們，一群偷食的驢！你們幹的事，當我不知道？都把褲腿解開！」

女人們見勢不好，哄一聲散開，都拐著小脚，像鴨一樣，走得風快。

院裡只剩下伊和王保管。王保管解開伊的扎腿帶子，吩咐伊站起來，於是，成百顆豌豆滾到了地上。

王保管說：「你說吧，怎麼辦？」

伊回到家時，屋子裡已是一團漆黑，梅生坐在地上打瞌睆。福生和壽生趴在草窩裡睡了。婆婆在黑暗中嘟噥著，彷彿在念一些神秘的咒語。

梅生問：「娘，是你嗎？你怎麼才回來？」

伊沒有吭聲。

梅生過來，摸著伊的胳膊，又問：「娘，你怎麼不說話？」

伊摸摸女兒的臉，說：「梅生，睡去吧。」

梅生道：「鍋裡還有一些觀音土丸子，你吃吧。」

伊說：「娘今日吃飽了。」

梅生歪在草上，睡著了。

伊逐個摸摸孩子，起身出屋，從檐下摘下一根繩子，搭在樹杈上，拴了一個套兒。

繩子勒緊伊的脖子時，伊的身體扭動起來。伊感到極其痛苦，後悔莫及。

繩子斷了。

伊解開脖上的繩子，急喘一陣氣，便哇哇地嘔吐起來。天下起了雨，伊進屋睡了。

第二天清晨，伊看到自己嘔吐出來的東西被雨水沖開，潮濕的泥地上，珍珠般散著幾十粒脹開的豌豆粒兒。

梅生過來，問：「娘，你找什麼?」

梅生隨即就看到了地上的寶貝，大呼著：「豌豆!」撲跪下去，雞啄米般把豆粒撿起來。

福生、壽生、婆婆都聞聲趕來。

男孩和女孩分食了豌豆，跪在地上，瞪著眼尋找。

婆婆哭著、罵著，扔掉傘柄，趴在地上，雙手摸索。

伊嘆息著，向磨坊走去。

在磨坊門口，王保管悄悄說：「我准你每天帶回去兩捧豌豆，但你也要給我。」

伊冷冷地說：「要是我一粒豌豆也不往家帶呢？」

王保管說：「那我當然不要你。」

又到了黃昏的時刻，女人們故伎重演，大把地往褲襠裡裝豌豆。她們似乎已知道昨晚上發生的事。伊卻把豌豆一把把塞到嘴裡，一點也不咀嚼，囫圇吞嚥下去。伊感到豌豆粒兒已裝到了咽喉，才停止。

王保管早等在門口了。伊很坦然地走上去，說：「你搜吧！」

王保管盯著她看了足有二分鐘，便放她過去了。

伊回到家中，找來一只瓦盆，盆裡倒了幾瓢清水，又找來一根筷子，低下頭，彎下腰，將筷子伸到咽喉深處，用力撥了幾撥，一群群豌豆粒兒，伴隨著伊的胃液，抖簌簌落在瓦盆裡……伊吐完豌豆，死蛇一樣躺在草上，幸福地看著，孩子和婆母，圍著瓦盆搶食。

幾天後，伊的技術精進，再也不需要探喉催吐，伊只要跪在瓦盆前，略一低頭，糧食便嘩啦啦倒出，而且，很多糧食粒兒都是乾的，一點兒也未被胃液沾汚……

後來，糧食日益缺乏，爲防止拉磨的女人偷食，王保管在門口準備了八只碗，一桶水，讓每個女人出門必漱口，把漱口水吐至碗裡，檢查有無糧食碎屑，這一招十分有效地控制了偷食現象，但伊照偷不誤，因爲伊是囫圇吞食，自然無碎屑。伊就這樣跪在盛了清水的瓦盆前，雙手按著地，高聳著尖尖胛骨，大張著嘴巴，嘩啦啦，嘩啦啦，吐出了豌豆、玉米、穀子、高粱……用這種方法，伊使自己的三個孩子和婆母獲得了足夠的蛋白質和維生素。婆母得享高壽，孩子發育良好。

這是六〇年代初期發生在高密東北鄉的一個眞實故事，這故事對我的啓示是：母親是偉大的，糧食是珍貴的。

靈藥

當天下午，武裝工作隊就在臨著街的馬魁三家的白粉壁牆上貼出了大字的告示，告訴村民們說早晨要斃人，地點還是老地點：膠河石橋南頭。告示號召能動的人都要去看斃人，受教育。那年頭斃人多了，人們都看厭了，非逼迫沒人再願去看。

屋子裡還很黑，爹就爬起來，劃洋火點著了豆油燈碗。爹穿上棉襖，催我起炕，屋子裡的空氣冰涼，我縮在被窩裡耍賴。爹掀了我的被子，說：「起來，武工隊斃人喜早，去晚了就涼了。」

我跟著爹，走出家門。東方已顯了亮，街上冷清清的，沒有一個人影。一夜的西北風把浮土刮淨，顯出街道灰白的底色來。天非常冷，手脚凍得像被貓咬著一樣。路過武工隊居住的馬家大院時，看到窗戶裡已透出燈光來，屋子裡傳出「呱嗒呱嗒」拉風箱的聲音。爹小聲說：「快走，武工隊起來做飯了。」

爹領著我爬上河堤，看到了那座黑黝黝的石橋，和河裡坑坑窪窪處那些白色的冰。我問：「爹，咱藏在哪兒？」

爹說：「藏在橋洞裡吧。」

橋洞裡空蕩蕩的、黑呼呼的，冷氣侵骨。我感到頭皮直發炸，問爹「我怎麼頭皮炸？」爹說：「我的頭皮也炸。這裡斃人太多，積聚著許多冤魂。」黑暗中有幾團毛茸茸的東西在橋洞裡徜徉著，我說：「冤魂！」爹說：「什麼冤魂！那是吃死人的野狗。」

我瑟縮著，背靠著煞骨涼的橋墩石，想著奶奶那雙生了雲翳，幾乎失明的眼睛。偏到西天的三星把清冷的光輝斜射進橋洞來，天就要亮了。爹劃火點著一鍋菸。橋洞裡立刻瀰漫了菸草的香氣。我木著嘴唇說：「爹呀，讓我到橋上跑跑去吧，我快要凍死了」。爹說：「咬咬牙，武工隊都是趁太陽冒紅那一霎斃人。」

「今早晨斃誰呢？爹？」

「我也不知道斃誰，」爹說，「待會兒就知道了。最好能斃幾個年輕點的。」

「為什麼要斃年輕的？」

爹說：「年輕的什麼都年輕，效力大。」

我還要問，爹有些不耐煩地說：「別問了，橋洞裡說話，橋上有人。」

說話間工夫東方就魚肚白了，村子裡的狗也咬成一片。在狗叫的間隙裡，隱隱約約傳來女人哭叫的聲音。爹貓著腰鑽出橋洞，站在河底，向村子的方向側耳聽著。我感到心裡非常緊張，在橋洞裡轉磨兒的那幾匹狗，青著眼盯著我看，好像隨時都會撲上來把我撕爛似的。我差不多就要拔腿跑出橋洞時，爹貓著腰回來了。在熹光裡，他的嘴唇哆嗦著，不知是因為寒冷還是因為恐懼。「聽到什麼動靜了嗎？」我問。爹低聲說：「別說話了，就要來了，聽動靜已經把人綁起來了。」

我偎著爹，坐在一堆亂草上，聳起耳朵，聽到村子裡響起鑼聲，鑼聲的間隙裡，有一個粗啞的男人聲音傳過來：「村民們——去南橋頭看斃人啦——槍斃惡霸地主馬魁三——還有他老婆——槍斃偽村長欒鳳山——還有他老婆——武工隊張科長有令——不去看以通敵論處——」

我聽到爹低聲嘟噥著：「怎麼會槍斃馬魁三呢？怎麼會槍斃馬魁三呢？無論槍斃誰也不該槍斃馬魁三啊……」

我想問爹為什麼就不該槍斃馬魁三，還沒及張嘴，就聽到村裡「叭勾——」響了一槍，子彈打著唷兒，鑽到很高很遠的地方去了。緊接著一陣馬蹄聲由遠漸近，一直響到橋頭。馬蹄敲打著橋面，「啪啪啪」一路脆響，好像一陣風似的，從我們頭頂上颱了過去。我和爹緊縮著身體，仰臉看著橋面長條石縫隙裡漏下來的那幾線天，心裡又驚恐又納悶。又待了抽半袋菸的工夫，一片人聲吵吵嚷嚷追到了橋頭。似乎都立住了腳。一個公鴨嗓子的男人大聲說：「別他娘的追了，早跑沒了影子！」

有人對著馬跑去的方向，又放了幾槍。槍聲在橋洞裡碰撞著，激起一串回音。我的耳朵裡嗡嗡響著，鼻子嗅到硝煙的濃烈香氣。又是那個公鴨嗓子說：「開槍打屌？這工夫早跑到兩縣屯了。」

「想不到這小子來了這麼一手，」有人說，「張科長，論成分他可是雇農。」公鴨嗓子道：「他是被地主階級收買了的狗腿子。」

這時候，有人站在橋面上往下撒尿，一股臊液泚泚地落下來。公鴨嗓子說：「回去，回去，別耽誤了斃人。」

爹對我說，那個公鴨嗓子的就是武裝工作隊的隊長，他同時還兼任著區政府的鋤奸科長，所以人們稱他張科長。

東方漸漸紅了。貼著盡東邊的地皮，輻射上去一些淡薄的雲。後來那些雲也紅了。這時我們才看清，橋洞裡有凍僵的狗屎，破爛的衣服，一團團毛髮，還有一個被狗啃得破爛爛的人頭。我很惡心，便移眼去看河裡的風景，河底基本乾涸，只有在坑窪處有一些潔白的冰，河灘上，立著一些枯黃的茅草，草葉上挑著白霜。北風完全停止了，堤上的樹呆呆立著，天眞是冷極了。我用僵硬的眼睛看著爹嘴裡噴出來的團團霧氣，感到一分鐘長過十八個鐘點，我聽到爹說：「來了。」

行刑的隊伍逼近了橋頭。鑼聲「咣咣」地響著，「嚓嚓」的脚步聲響著。有一個粗大宏亮的嗓門哭叫著：「張科長啊張科長，俺可是一輩子沒幹壞事啊……」爹輕輕地說：「是馬魁三。」有一個扁扁的、乾澀的嗓門哀告著：「張科長開恩吧……我這個村長是抓鬮抓到的……都不願幹……抓鬮，偏我運氣壞，抓上了……開恩饒我一條狗命吧張科長……我家裡還有八十歲的老母沒人養老哇……」爹說：「是欒鳳山。」有一個尖利的嗓門在叫：「張科長，自打你住進俺家，俺讓你吃香的喝辣的，十八歲的閨女陪著你。張科長，你難道是鐵打的心腸？……」爹說：「馬魁三的老婆。」有一個女人在吼叫：「嗚……哇……啊……呀……」爹說：「這是欒鳳山的啞巴老婆。」

張科長平靜地說：「都別吵叫了，吵叫也是一槍，不吵叫也是一槍。人活百歲也是死，不如早死早超生。」

馬魁三喊叫著：「老少爺們兒，我馬魁三平日裡沒有對不起你們的地方，幫著求個人情吧……」

聽動靜有許多人跪了下來，雜七雜八地哀求：「科長開恩，饒了他們吧，都是老實人，都是老實人哪……」

有一個男人拔高了嗓門說：「張科長，我建議讓這四個狗雜種跪在橋上，給鄉親們連叩一百個響頭，然後就饒了他們的狗命怎麼樣？」

「高仁山，你出的好主意！」張科長陰森森地說：「你以爲我張聚德就是殺人魔王嗎？你這個民兵隊長怕是當夠了！鄉親們，都起來，大冷的天，跪著幹什麼？槍斃他們，是上頭的政策定的，誰也救不了他們，起來吧起來吧！」

「老少爺們，多說好話吧……」馬魁三哀告著。

「別磨蹭了，」張科長道，「開始吧！」

「閃開！閃開！」橋頭上幾個男人吼著，一定是武工隊員們在掏趕那些跪地求情的百姓。

隨即馬魁三大聲嚎叫起來：「老天爺，你瞎了眼了！我馬魁三一輩子善良，竟落了個槍崩！張聚德，你這個畜牲，你這輩子死不在炕上，畜牲，你死不在炕上……」

「快點！」張科長吼著，「讓他罵著好聽是不是？」

踢踢踏踏的腳步聲從我們頭頂上走過去了，我從橋石縫裡看到了一些晃動的人腿。

「跪下！」橋南頭有人厲喝。

「兩邊閃開！」橋北頭有人厲喝。

「叭——叭——叭——」，響了三槍。

尖利的槍聲呼嘯著鑽進了我的耳朵，使我的耳膜高頻震盪，幾乎失去了聽力。

這時候，太陽從東邊的地平線上，冒出了一線血紅的邊緣，那些高挺的杉樹一樣的長雲，也都染足了血色。一個高大肥胖的肉體，從橋面上栽下來，緩緩地栽下來，好像一團雲，只是在接觸了橋下的堅硬白冰時，才恢復了它應有的重量，發出了沉重的聲響。有一些亮晶晶的血從他的頭顱上冒出來。

北邊橋頭上，炸營般地亂了。聽動靜是被催來觀刑的百姓們紛紛逃竄。聽動靜武工隊員們也沒去追趕那些逃跑的百姓。

踢踢踏踏的腳步聲又從我們頭頂上響到橋南頭去了。緊接著又是南頭喊「跪下」北頭喊「閃開」，緊接著又是三聲槍響，緊接著身穿一件破棉袍子、光著腦袋的欒鳳山一頭栽倒橋下，先砸在馬魁三腰上，然後滾到一邊。

緊接著一切都彷彿被簡化了，一陣亂槍過來，兩個披頭散髮的死女人，手舞足蹈地砸在了她們男人的身上。

我緊緊地抓著爹的胳膊，感到有一股股熱呼呼的液體洒在棉褲上。

起碼有五六個人在我們頭頂上站住了。我感到寬大的橋石被他們沉重的身體壓得彎曲了，他們的聲音也像炸雷一般震耳欲聾，「科長，要不要下去驗驗屍？」

「驗個屁！腦漿子都迸出來了，玉皇大帝來了也救不活他們。」

「走吧！到小老郭他老婆那兒去喝豆腐腦吃油條去。」

他們邁著大山一樣沉重的步子往橋北頭走去。橋石在他們腳下彎曲著，哆嗦著。這座橋隨時都會坍掉，我覺得。

一切都安靜，車輪大的紅太陽在遠方的白色河冰上滾動著，放射出億萬道紅色的光線，光線又從冰上反射回去，又從草梢上反射回去，又從凍土上反射回去。我聽到太陽光線與石頭橋墩碰撞時發出一些窸窸窣窣的聲響，好像細小的雪花抽打著窗戶上的白紙。

爹捅了我一下，說：「別發愣了，動手吧。」

我感到眼前一切都莫名其妙，爹也是一個我似曾相識的、莫名其妙的陌生人。

「什麼？」我肯定是莫名其妙地問：「什麼？」

爹說：「你忘了嗎？給你奶奶來偷藥！趕著點緊，待會兒收屍的人就來了。」

大概有七、八條毛色斑斕、拖著又長又濃重的彩色大影子的野狗從河道裡咆哮著撲過來，我想起來適才放槍時牠們尖叫著逃跑時的情形。

我看到爹從橋洞裡踢下幾塊凍在地上的青磚頭，對準狗們擲過去。狗蹦跳著躲過了。爹又從懷裡摸出了一把牛耳尖刀，對著那些野狗揮舞著。黑色的爹身體周圍飛劃著一些銀光閃閃的漂亮弧線，那是爹舞出來的刀花。野狗們暫時退卻了。

爹緊緊紮腰的繩子，挽挽棉襖的袖子，大聲說：「幫我瞧著人！」

爹像隻餓鷹一樣撲上去，先拖了兩個女人的屍體，然後把臉朝下趴著的馬魁三翻了個身。讓他面朝著天。爹跪在地上磕了一個頭，小聲說：「馬二爺，忠孝不能兩全，對不起您了！」

我看到馬魁三伸出一隻手抹了抹臉上的血漿子，微笑著說：「張聚德，你這輩子也死不在炕上。」

爹用一隻手很不靈便去解馬魁三皮袍子上的黃銅扣子，解不開。我聽到爹說：「二狗子，幫我拿著刀。」

我記得伸手接了爹遞過來的刀，但卻看到爹用嘴叼住刀，雙手去解馬魁三胸前那些黃銅扣子。那些銅扣子圓圓的，黃黃的，金燦燦的，有豌豆粒兒大，扣在布條攀成的扣鼻裡，很不好解。爹很焦急，一使勁，把它們撕了下來。掀起皮袍子，雪白的羔兒皮掀到肚腹兩邊，露出一件綢夾襖。夾襖也釘著同樣的銅扣子，爹伸手又把它們撕了。把綢夾襖掀到兩邊去，又露出一件紅綢布兜肚子。我聽到爹咦了一聲。我也感到這位五十多歲的胖老頭子還暗中穿著一件妖精衣服眞是十分地奇怪。爹好像突然發怒，一把便將那玩意撕了，扔到一邊。這一下露出了馬魁三圓滾滾的肚皮和平坦的胸脯子。爹一伸手，突然站起來，臉色像金子一樣，對我說：「二狗子，你試試，他的心還蹦蹦地跳著。」

我記得我彎腰去試他的心，果然感到那兒有個像小兔子一樣的東西在鼓湧。爹說：「馬二爺，您腦漿子都迸出來了，玉皇大帝下了凡也救不活您了，您就成全了我這片孝心吧！」

爹從嘴裡吐出刀子，攥在手裡，在馬魁三胸脯上比劃著，尋找著下刀的地方。我看到他用刀子在馬魁三胸脯上戳了一下，竟好像戳在充足了氣的馬車輪胎上一樣被反彈回來。又戳了一刀，又彈回來。爹撲地跪倒，磕著頭說：「馬二爺，我知道您死得冤枉，您有冤有仇就找張科長報去吧，別對著我個孝子顯神通了。」

我看到只戳了兩刀，爹的臉上已經汗珠滾滾，鬍子上的白霜也融成了露水。遠處那些野狗正在逐漸逼上來，那些狗東西的眼睛都紅得像火炭一樣，頸子上的毛都聳著，像刺蝟一樣，牙都齜著，像利刃一樣。我說：「爹呀，快動手吧，狗們逼上來了。」

爹站起來，揮著刀，發著瘋狂，把野狗們逼出去半箭地，然後氣喘吁吁地跑回來，大聲說：「馬二爺，我不剮了您，狗也要撕了您，與其讓狗撕了，還不如讓我剮了！」

爹一咬牙，一瞪眼，一狠心，一抖腕，「噗哧」一聲，就把刀子戳進了馬魁三的胸膛。刀子吃到了柄，爹把刀往外一提，一股黑血軟綿綿地滲出來。爹旋轉著刀子，但總被脇條阻隔著。爹說：「人慌無智。」抽出刀，放在馬魁三的皮袍子上擦擦，一緊手，便將馬魁三開了膛。

我聽到「咕嘟」一聲響，先看到刀口兩側的白脂油翻出來，又看到那些白裡透著鴨蛋青的腸子滋溜溜地竄出來。像一群蛇，像一堆鱔，散發著熱烘烘的腥氣。

爹一把把地往外拽著那些腸子，看樣子情緒煩躁，手頭使著狠勁，嘴裡嘈嘈地罵著。終於把腸子拽完了，顯出了馬魁三空蕩蕩的腹腔。

「爹，你到底要找什麼呀？」我記得我曾焦急地問。

「膽，苦膽！他的苦膽在哪裡？」

爹捅破了馬魁三的隔膜，揪出了一顆拳頭大的紅心。又揪出了幾頁肝。終於在肝頁的背面，發現了那小雞蛋般大小的膽囊。爹小心翼翼地用刀尖把膽囊從肝臟上剝離下來。舉著，端詳了一會兒。我看到那玩意兒潤澤光華映日，宛若一塊紫色的美玉。

爹把膽囊遞給我，說：「小心拿著，等我把欒鳳山的膽也取出來。」

爹此時已像一個經驗豐富的外科醫生，手段準確、迅速。他用刀尖挑了窮鬼欒鳳山束腰的草繩子，撏開他的破袍子，對準那瘦骨凸凸的胸腔踹了一脚，刷刷刷三五刀，掀開遮蔽，伸手進去，宛若葉底摘桃，揪下了欒膽。

「跑！」爹說。

我們上了河堤，看見群狗拉著腸子撕扯，又看見太陽的紅色已經黯淡，刺目的白光煥發出來，照耀著它應該照耀的萬物。

奶奶目生雲翳，請神醫羅大善人看。羅大善人說，這是三焦烈火上升所致，非大寒大苦的藥物不能治了。然後挾著包要走。爹苦苦哀求，希望羅神醫開個方子。羅神醫說：「用個偏方吧——你去弄些豬苦膽，擠出膽汁來讓你娘喝，興許能退出半個瞳仁來。」爹問：「羊膽行不行？」羅神醫說：「羊膽、熊膽都行——要是能弄到人膽——他哈哈笑著說——你娘定能重見光明。」

爹把馬魁三和欒鳳山的膽汁擠到一只綠色的茶碗裡，雙手端了。遞給奶奶。奶奶把茶碗送到嘴邊，伸出舌尖品了品，說：「狗子他爹，這是什麼膽，這般腥苦？」

爹說：「娘，這是馬膽和欒膽。」

奶奶說：「什麼馬膽、欒膽？馬膽，我知道；欒膽，是什麼？」

我按捺不住，大聲說：「奶奶，這是人膽！馬是馬魁三，欒是欒鳳山。俺爹把他倆的苦膽扒來了。」

奶奶怪叫一聲，仰面倒在炕上，頓時就斷了氣。

屠戶的女兒

我忘不了那些星星。跳跳抖抖，擠鼻子弄眼，像小鬼精靈一樣，像那隻總是圍著我跳來跳去的小黑狗一樣，那些星星，在凌晨的天空中，閃爍著寶石一樣的光芒。

那時我幾歲了？誰能搞清楚？也許我的外公知道，也許我的媽媽知道，反正我不知道，也許連他們也不知道。他們知道也不會告訴我。

最早進入我記憶的，是那些嚴冬的早晨，村子還沈睡著，狗有一聲無一聲地叫著，我躺在小推車樑旁邊的簍子裡，身下墊著厚厚的麥稭草，麥稭草上還鋪了一張比我的身體還要長的狗皮，狗毛是金黃色的，軟軟的，茸茸的，我猜想那一定是條威武雄壯的大狗，叫起來嗚嗚的，像老虎一樣。媽媽總是一邊低聲嘟噥著：「香妞兒，香妞兒，咱去縣城賣肉肉，賣完肉肉買包吃，包子香，包子甜，撐得香妞團團轉……」媽媽把我放在簍子裡，在我身上蓋一件專爲我縫的小棉被子。然後媽媽就去推開了那兩扇用樹棍子連成的街門，等著外公彎下腰，將車攀掛在脖子上，手攥著油漉漉的小車把兒，直起腰，把我推出去。媽媽推上柴門，掛上鐵門鼻子，捏上一把黃澄澄的大銅鎖，我的小黑狗在小車前後跑著，汪汪兒地叫著，我在黑暗中看到了牠亮晶晶的眼睛，和它那一身在星光下閃亮的皮毛。我們家的小黑狗是全村、全縣、全省最漂亮、最享福的狗兒了，我們的小黑狗是喝著豬血，吃著肥豬肉長大的，世界上再也沒有一匹比我們家的小黑狗命更好的小狗兒了。我們家的小黑狗兒從來不跟村子裡那些吃糠渣渣地瓜皮長大的狗兒一起玩，我們家的小狗兒香香的，村子裡的小狗兒臭臭的。媽媽說：

「小黑，回去吧，好好看住門！」

小黑狗叫兩聲，便從土墻上留出來的洞洞裡鑽進去了。我聽到牠在院子裡鳴叫，牠在向我們告別，牠說牠盼著我們早早地賣完豬肉，早早地回家來。

外公推著小車，媽媽走在車側，走在我身邊。我們的小車輪子輾著村子裡凍得梆梆硬的街道，發出格格登登的響聲。有時，黑暗的墻角上有狗對著我們叫幾聲，有時，有一匹黑乎乎的小牛犢飛快地從我們身邊跑過去，我聽到了牠鑽過籬笆墻時，身體碰撞摩擦樹枝，發出了嚓嚓啦啦的響聲。我閉著眼睛，看到小牛犢那一身緞子般光滑的皮毛像一大塊脂油一樣，滋溜溜地，挌到籬笆墻的對面去了。我看到牠站在那兒，瞪著水汪汪的大眼睛看著我，彷彿要對我說什麼話，但是牠沒有說話——我知道牠不好意思跟我說話，牠故意不跟我說話。牠總有一天會對我說話——用牠那紫色花瓣兒一樣的小嘴，叼住那些秋天時纏繞在籬笆墻上開紫色喇叭花兒現在乾枯了的牽牛花的葉子，用力地撕下去，用力地撕下去，牠不吃，牠不餓，牠叼住撕它們，只是爲了使籬笆墻發出嘩嘩啦啦的好聽的聲音，給我聽。

很快我們就出了村子。外公弓起腰，憋住氣，把小車推上一個大土坡兒，媽媽有時會轉到車前頭去手拉住車前的橫擋棍，助他一把勁兒，有時則根本不管，由著外公哞哧哞哧憋著氣把小車拱上去。一上坡兒，我就看到了那條河，嚴冬的凌晨總是特別黑暗，河裡的冰是在黑暗中閃爍著模模糊糊的白光。外公手拽著車把，身體後仰著，腳使著勁兒，放車下坡了。我聽到他的大腳蹭得下坡路響，我能想到那兩隻大腳在鞋裡的模樣。

下了坡就是一座小石橋，我們從縣城賣肉回來時，小石橋總是伏在河上，弓著腰，歪著頭，搖晃著尾巴，對我們微笑。我總擔心當我們的小車走到它的背上時，它會一使勁兒把我們甩到河裡去。這種情況從沒發生過，但我感到這種情況隨時都會發生，總有一天會發生。

我聽媽媽說我們家離縣城有三十里路，所以我們要一大早起身去趕縣城裡的早市。過了石橋，再爬上一個坡兒，就是直通縣城的大道了。媽媽說這條路原來彎彎曲曲、凸凹不平，路兩邊全是野草，夜裡走起來叫人害怕。媽媽說她小時候這路兩邊有很多大墳墓，還有一些黑松樹林子，夜裡，那些鬼火呀，就像小毛人兒提著的小燈籠，碧綠的，鮮紅的，金黃的，好多好多，多得數不清，在墳地裡飛來飛去，嗤，一條綠火線；嗤，一條紅火線；嗤，一條金火線。多嚇人呀，但又多麼好看呀。黑松樹林子裡有很多白色的夜貓子，哇哇地叫，叫得人的脊梁溝裡涼颼颼的，頭皮一炸一炸的，不知不覺冷汗就流出來了。樹林子裡還有一些穿小紅襖的小毛人，拖著一根蓬蓬的、像毛穀穗一樣的大尾巴，在樹林裡藏貓貓呀、過家家呀。多好玩呀。我真羨慕比我大許多的媽媽，看到過那麼多好看的風景，聽到過那麼多好聽的聲音。媽媽說後來來了一些人，把路兩邊的墳墓扒了，把黑松樹林子砍了，把路加寬了，墳高了，拽直了，路面上鋪了碎石頭、灰渣子，用大石滾子壓實了，又鋪上一層沙子。從此後下多大的雨，路上也能走車了，沒有泥巴沾住車輪、糊住車輻條了，也沒有泥巴剝掉媽媽的鞋底子了。可是我恨那些人，他們把鬼火攆跑了；他們毀了小毛人的家，更毀了媽媽看過的風景。

但是我看到的風景也夠好的，比不過媽媽的風景也夠好的。路兩邊總是一排排的樹木，在只有星星的時候，我看到它們像一個個高大的、撅著嘴巴生悶氣的大男人，我們的小車兒在他們的脚下哧溜溜地滑動著，像他們的玩具兒一樣。只要他們發了怒一抬脚就可以把我們的車、連同我的外公我的媽媽當然更跑不了我，踹出去好遠好遠，我們和我們的車兒在星星中間翻著跟斗飛，有時候碰到星星們那些亮晶晶的腿，星星們害羞似地把腿搐回去，我們最後掉在河裡，把比豬肉膘子還厚的冰都砸破了。每次想到這兒我就哭起來。媽媽安慰我，側著身子給我擦眼淚。媽媽的手上有一股生豬油味道，很好聞。我就是聞著這股味道長大的，媽媽的身上、外公的身上、我們家的被子上、喝水的碗上，都有這股味道。媽媽的手很涼，她的手也很大，我的臉在媽媽手下就像一隻沒長毛的小雀兒一樣。媽媽說：「香妞兒，香妞兒，又被夢虎子魘著了吧？醒醒，你看太陽就要出來了，縣城快到了。」

外公吭吭了兩聲，想說話又說不出來的樣子。在我的記憶裡，總是媽媽在說話，對我不停地說，把一些話反來覆去地說。外公從來不說話。

太陽果然出來了。先是露出了一條邊，從一排排的樹木後邊，從一個個的草垛後邊，從一排排的草屋後邊。我們迎著太陽走，縣城就在太陽那邊。太陽的邊緣紅紅的，嫩嫩的，像剛出殼的小雞兒一樣，像媽媽的眼睛一樣，那上邊總是有一些雲彩，今天這樣形狀，明天那樣形狀，沒有重過一次樣。但各式各樣的雲彩總是被每天早晨的太陽染得一樣鮮紅。我說媽媽這個天下眞嫩呀，一掐冒水兒，像小螞蚱，像小蘑菇、像小夢子。媽媽就笑，媽媽說：「這個天下眞嫩，這個小孩眞老。」

太陽照著我們，它一會兒功夫就有了火性，不像個妞妞，像個發威的大黃狗了。它放射出萬道金光，好像大黃狗抖擻著一身黃毛。路一直通往光明裡去，路邊的樹梢上，結著一層青茸茸的霜花，它們那麼冷，像那些大男人一樣站著，鼻孔眼子裡噴著白氣。天漸漸地藍起來，我看天是那麼樣的方便，天上的星星在跟我告別，它們怕太陽，匆匆忙忙地跑，我看著它們吹熄了手中的蠟燭沉到天的藍色裡去。魚兒也是這樣沉入大海的吧？我沒見過大海，媽媽見過一次，媽媽說見過了藍天也就等於見過了大海，於是，我就把見大海的念頭打消了。

陽光照著我媽媽，我媽媽是這個世界上最美好的人。我媽媽穿著葱綠色的對襟褂子月白色的肥腿褲子；我媽媽梳著大辮子我媽媽臉膛紅通通的，我媽媽唇上有茸茸的毛我媽媽眼睫毛上有茸茸的霜。我媽媽從來沒在我面前流過眼淚我媽媽總像隨時都要流眼淚。我知道我媽媽的眼淚一旦流出來就會不斷頭地流，像掛在我家房檐下那冰柱子一樣，滴滴答答滴不停；我媽媽就會越來越小，最後消逝，我媽媽就像一股氣一樣散在地下，再也找不到了。

我生怕我媽媽流眼淚媽媽你千萬別流眼淚。

縣城已經跑到太陽底下了，我遠遠地看著那些樓那些煙囪，還有它那些生著枯草的城墻。那裡冒著許許多多的煙，有比黑夜還要黑的煙，有比雪還要白的煙。

我們穿過城門，與很多人走在一起。人們都看我一眼，就把頭正過去再也不看了。他們都像有心事一樣，匆匆忙忙往前跑。我們的小車輪子滾上了那條石板鋪成的路。一轉彎再一轉彎後，再轉一個彎從那棟有一圈松樹圍著的小樓旁彎過去就到了肉市了。

外公的臉上掛著汗珠，鬍子上沾著一些冰珠珠。到了肉市的時候他總是這副模樣。

車子在肉市上停下來，因爲一旦平放了車子的頭便要比身子低，所以我們的車子從不平放。外公預備了一根帶叉的桃木棍子，把車子支起來，我很舒服地仰在我的簍子裡，看著那些油光光的賣肉的架子。我們雖然路遠但我們走得早所以我們從來都是第一家把兩大片洗刷得白生生紅靈靈的豬肉掛在肉架子上。肉架子外也有一條很寬的溝，溝裡有一些冒熱氣的髒水，還流動呢，不知道它們從哪裡流出來又要流到哪裡去。有幾隻早起的雞在溝邊的垃圾裡則找著吃食，一隻綠毛大公雞不斷地跳到母雞身上去。公雞下來後，母雞就抖擻羽毛，把羽毛蓬大許多抖擻幾下，繼續刨找食。

媽媽幫助外公把豬肉掛到肉架子上，掛肉的鉤子是我們自己帶來的，我們家有好多把這樣的用粗鐵筋鍛打成的鉤子，媽媽把那只扁簍放在肉架子下，扁簍裡有刀、有磨刀的鐵棍兒、有一杆秤，還有一些柔韌的，捆肉用的馬蓮草，外公從他的羊皮襖裡掏出菸包菸袋，點火抽菸，一會兒功夫白色的菸霧罩住了他那張通紅的、肥胖的大臉。那臉上有許多深皺，皺裡有永遠洗不淨的垢。外公的霧昏昏的雙眼像兩粒磨毛了的玻璃球一樣，在菸霧裡顯露著短短的怯怯的光芒。外公把氈帽頭往臉後推了推，露出了一半禿得光光的腦殼，外公眞醜，我不喜歡外公。我離不開外公，只有媽媽在我身邊時我總怕別人來打我，有外公和媽媽在我身邊我不怕。外公的禿頭冒著熱氣，有一些汗水在發亮。清冷的空氣裡有炊煙的味道、生豬肉的味道、菸草的味道和外公的汗味。媽媽的汗是香的、外公的汗味是膻的。是不是因爲外公老穿那件羊皮襖的緣故呢？他的羊皮襖上抹了幾十年豬油，明晃晃的，下雨下雪都不怕。幾條瘦狗嗅著味到了肉架子附近，牠們夾著尾巴，灰溜溜地、蹺腿躡脚，眼睛賊賊的，鼻子尖尖的，一副又饞又怕的可憐樣子。看著牠們我更爲我的小黑狗驕傲了。我的小黑狗是我的伴兒，是我的寶貝。我心頭上的肉兒，就像媽媽說我一樣。只要有我吃的就有小黑狗吃的。只要我提出要餵狗，無論是多麼好的肉，媽媽和外公沒有不答應過。

媽媽對我說：「香妞兒，好好待著，媽去買點吃的。」

每天都是這樣。媽媽買來三個夾肉的熱燒餅，用紙包著，走過來。媽媽走得風快，好像那燒餅燙著她的手。

媽媽先把一個燒餅遞給我，然後把另一個燒餅放在肉架子下的扁簍裡，跟刀放在一起。那是給外公的。媽媽從來不把燒餅遞到外公手裡。媽媽也從來不招呼外公吃什麼。

媽媽與我面對面吃燒餅。夾肉的燒餅越嚼越香。我們習慣了乾嚼燒餅不喝湯。賣完了肉我們去吃爐包時，媽媽會弄一碗水給我喝，水面上漂著大油花子，燙嘴的水。

賣肉的人們陸續來了，一會兒就掛滿了肉架子。那麼多賣肉的人，我都認識，有張莊的張大爺，李村的李大叔，都是男的，只有我媽媽一個人是女的。有時候李大叔的老婆也來幫李大叔收錢捆肉，那時就有兩個女的。李大嬸總是用手摸摸我的頭，說：「可可憐憐的個小閨女喲！」

我不知道我有什麼值得她可可憐憐的。

照例，他們跟我外公打著招呼，但外公只是點點頭、哼哼哈哈幾聲，很少回答。外公懶得說話。

那天早晨，李大叔說：「老秦大叔，我看你也別犟勁了，買把小刀子，開剝豬皮吧，國家開著收購，皮價貴於肉價，國家要用這皮去製革。給幹部們、城裡人做皮鞋穿呢。吹皮刮毛，又費勁又少錢，何苦呢。」

外公不吭聲。

整個肉市上，只有我們一家賣的是帶皮的豬肉。帶皮的豬肉好吃、有嚼頭，所以，我們家的肉賣得最快。

那一天，逢什麼節吧，肉下得多，王屯的那個黑大個子在肉架子下安了一張床子，現殺現賣起來。

外公把肉賣完了。我們沒照老例去吃爐包，黑大個子要殺豬，我們要看光景。黑大個子的兒推著兩口肥豬來了，豬四脚被綁，躺在車梁兩邊，吱吱地叫，嘴角吐著白沫。兩口豬，一黑一白，白豬的眼珠子血紅，彷彿要沁出血來。

黑大個子和他兒子把豬抬到床子上。豬叫得凶，把我的耳朵都震聾了。

黑大個子抄起一根疙瘩棍，對著豬的耳朵根子、擂了一棍，「噗哧」一聲響，肉肉的、潮潮的，豬不叫了，四條腿挺硬，索索地抖。黑大個子抄起白刀，攮進去，一攪，拔出紅刀，黑血跟著刀，咕嘟嘟冒過來。黑大個子吼他兒子：「快端盆接血呀！」

他兒子端過盆，放在豬下。黑大個子揪著豬耳朵，摳著豬鼻孔，活動著豬頭，讓豬血更快更猛地瀉到盆裡去。一會兒，豬軟了，血不流了，刀口往外冒一些血泡泡。黑大個子鬆了手，抄起刀來，蹭蹭幾下子，就把豬頭割下來了，一會兒，又把四個豬蹄卸下來了。

殺豬眞熱鬧，好多人圍著看。瘦狗們趁著亂，從人腿縫裡鑽進去，舔濺在地上的豬血，挨了踢，就賴唧唧地叫著，躲到一邊去，一會兒，又溜過去，挨了踢再躲開，眞可憐。

我外公和我媽媽殺豬可不這樣子。我一閉上眼睛，就能看到我外公和我媽媽殺豬的情景。

我們要殺的豬，都是頭天下午去賣豬的人家捉來，放在院子裡拴著，牠跑不了，小黑狗看守著呢，牠想跑小黑狗就咬牠的腿。差不多半夜的時辰，媽媽就從炕上起來，點著了燈，只要媽媽一點著燈，外公就必定坐在墻角那個草舖上巴嗒巴嗒抽菸了。然後媽媽就往大鍋裡倒水，嘩嘩地響，有時還會有些冰塊子砸著鍋底咚咚響。媽媽坐在鍋前燒火，火紅紅的，暖暖的，映著媽媽的臉，眞好看呀，後來鍋裡的水就吱吱啦啦地唱起來了，外公也到院子裡去了，院子裡的豬也叫起來了。院子裡的豬一會兒就不叫了，我知道牠已經被外公殺死了。外公殺隻豬像殺隻兎子一樣，方圓幾十里，誰不知道殺豬的秦六呢？這時鍋裡的水也開著，媽媽揭開鍋蓋，熱氣直衝屋頂，很多灰掛落下來，那盞燈的光模糊了，黃了，只剩下豆粒那麼大，那些熱氣，一縷一縷的，往上冒。媽媽和外公把死豬抬進來了。媽媽在鍋上橫上一塊木板，把豬抬上去。外公用刀在豬小腿上切一個口兒，用鐵通條往裡通，然後呀，精彩極了，我外公把嘴貼在那刀口上，憋足氣，往裡吹；咈——豬腿鼓起來了；咈，豬肚皮鼓起來了——我外公吹一口氣，就用手捏住刀口。再運氣，再吹，他的氣息眞大，一會兒功夫，就把隻豬吹得像隻大皮球一樣。一敲澎澎地響。媽媽用瓢舀熱水，往豬身上澆，澆一會，用刀子刮毛，一刮一大片，豬毛褪，白皮生。外公和媽媽配合著，把個豬弄得光溜溜，眞乾淨。這時候，我睡著了，等著媽媽把我抱到車上去。她和外公怎樣開豬膛、怎樣劈豬肉我看不到。我媽媽和外公給豬褪毛技術第一。

黑大個子卻用刀剝皮，先在豬肚子中間開一條縫、一點點往下剝，剝過肚腩子、皮硬了，便用膝頂著，拇指按著刀背，只手拎著豬肚皮，嗤，一刀通到脊梁，嗤、嗤，果然也很快。一袋菸功夫，那頭豬就把皮脫了，但那肉難看極了，周身都是刀，比不上我外公和我媽媽的豬肉，光光滑滑，乾乾淨淨，白是白，紅是紅，這才是豬肉呢，這樣豬肉才好呢！

有一天，我病了，頭痛、發燒，媽媽去買了兩片發汗餅，餵我吃下，讓我蒙著被子發汗。我果然出了汗，汗水把我泡起來了。我要掀被子，媽媽不讓，媽媽說：「好香妞，蓋好，媽媽賣肉，你在家好好躺著，媽把飯給你放在身邊，媽賣完菜就回來。」

我第一次單獨在家，我有些怕，但我說：「媽媽，放心去吧，有小黑狗伴著我呢！」

外公悄無聲地過來，把一個洗得乾乾淨淨的紅皮大蘿蔔放在我的臉邊，我的腮貼著涼森森的蘿蔔皮兒，很舒服。我最愛吃紅皮蘿蔔，我謝謝外公。

我聽到狗叫柴門響，聽著車軲轆轉動的聲音，想念著那滿天的星斗和無窮的風景，不知不覺睡著了。

小黑狗的叫聲把我喚醒，陽光已經照在我的臉上。小黑狗在炕前蹲著，笑咪咪地看著我。我說：「小黑狗，咱倆一塊兒玩，好不好？」

小黑狗點點頭，搖搖尾巴。

我吃了媽媽留給我的飯，沒忘了分一些給小黑狗吃。我吃了外公留給我的紅蘿蔔，沒忘了分一半給小黑狗吃，小黑狗把蘿蔔叼到一邊去，牠說辣，不好吃。

明媚的陽光照著我的家，那些懸掛在梁頭上的鐵鉤子油光閃閃，渴望著我與它們說話。一些綠色的蒼蠅在屋子裡飛，嗡嗡嗡，唱小曲兒。小黑狗在院子裡叫，院子裡有鳥的鳴叫，啾啾喳喳，啾啾喳，這是隻什麼鳥兒？牠生著什麼樣的羽毛？什麼樣的嘴巴裡能發出這樣好聽的聲音？我掙扎著，跌下炕去，用我的寶貴的手，往院子裡爬。小黑狗高興極了，圍著我跑，有時，牠還從我的身體上蹦過去、蹦回來，牠肚皮上的毛摩擦著我的屁股我的背，茸茸的，熱熱的，眞舒服，小黑狗說：「香妞兒，香妞兒。」

我說：「小黑狗，小黑狗。」

我家院子裡有棵香椿樹，樹梢上，蹲著一隻黃肚皮、綠尾巴、紅頭頂的鳥兒，牠在唱歌、跳舞。陽光像豬血一樣，腥腥的、暖暖地，塗滿我的全身，院子裡有一股香椿葉的味兒，還有金色的蜂兒在陽光裡飛行，一粒粒、像金星兒一樣。

突然，有一塊石頭打在樹上，險些兒就打中了那隻漂亮的小鳥，小鳥一抖翅膀飛了。我看牠拖著一道花影子飛到耀眼的光明中去了。街上，傳進來一陣孩子的歡笑聲。

從我生下來，還沒跟村裡的孩子們一塊兒玩過。他們都是些毛茸茸的小東西，都拖著一條穀穗般的大尾巴吧？

「小黑狗、小黑狗，我想上街去。」

「香妞兒，香妞兒，跟我上街去。」

小黑狗笑著，一聳肩，從墻洞那兒鑽出去了。牠在墻外叫我：「香妞兒，香妞兒，快快鑽出來。」

我爬到墻洞那兒，學著小黑狗的樣子，窄著肩，縮著身子，往外鑽，鑽呀鑽，終於鑽出去了。

街上的情景美妙，籬笆上盡是扁豆花，扁豆花上落著紅蜻蜓。有一個井，井上有架轆轤，有一個人在打水。一大群男孩子，在街上堆沙土、扔垃圾、捕蜻蜓。他們看到了我。他們圍上來看我。

我友好地望著他們笑，小黑狗也對著他們搖尾巴。

一個小男孩大聲說：「你們看，她沒有脚！」

他們蹲下，瞪著驚愕的眼睛，看著我那兩條像魚尾巴一樣的腿。我生來就是這樣的，我曾問過媽媽我爲什麼這樣，媽媽就流眼淚，我最怕的就是媽媽流眼淚。一個掛著黃鼻涕的小男孩，伸出一根黑指頭，戳了戳我的魚尾巴，我急忙把它縮回來。

小男孩問：「你是個妖精變的嗎？」

「我不是妖精，我是人，我叫香妞兒！」

「你是妖精！」小男孩大喊著，領頭跑了，男孩們也大喊著：「妖精，妖精，沒有脚的妖精！」一齊跑了。

我的眼裡流出了眼淚。

小黑狗的眼睛裡也流出了眼淚。牠走到我身邊，伸出刺刺的紅舌頭，舔著我腮上的淚。

這兒，有一塊石頭落在了我身邊。我正要尋找石頭飛來的方向時，就有十幾塊磚頭瓦片飛過來，有的落在我身上，有的落在狗身上。有一塊尖利的瓦片擊中了我的額頭，我的額頭上滲出了鮮血。在血淚模糊中，我看到那些小男孩躲在籬笆後邊笑。

我大聲叫著：「我要殺了你們，剝你們的皮，褪你們的毛！」

小黑狗像一枝利箭，衝向那些小妖，我聽到他們像鬼一樣，哭嚎著逃竄了。

一會兒，有幾個老婆子，領著那些被小黑狗咬傷的男孩罵著走來了。她們說：「這是什麼社會，還敢養惡狗咬人？這狗咬了人，要得狂犬病，看他秦六怎麼辦！」

小黑狗一閃身就鑽到院裡去了。

我也學它的樣子往裡鑽。

我的頭在院子裡了，但我的腿——魚尾巴，還在墻外，這時，我感到有一隻粗糙的手掐住了它，我聽到有人在墻外說：「都來看呀都來看，都來看，人魚怪！」

那一夜，媽媽一直抱著我。我感到一會兒在鍋裡煮著，一會兒在冰裡凍著。更多的時候，我感到自己在那像藍天一樣的大海裡游著，我從來沒這樣舒暢過，星星在我身邊，舞動著那些閃光的、沒有脚的腿，激起了一簇簇的浪花，濡濕了我的臉……

我看到媽媽的眼淚連串兒往我臉上滴。

媽媽的眼淚像豬血一樣。

後來，我做了一個夢，在夢中，我看到我們家燈火明亮，媽媽披散著頭髮，雙手高舉起那根沾血的木棍子，一下一下地，敲打著萎縮在地舖上的外公。

外公雙手護著臉，一聲也不吭，一動也不動，媽媽的棍子好像打在一隻褪淨了毛的死豬身上，發出一種令我難以忍受的「咯唧咯唧」的響聲。黑色的血從外公的禿頭上冒出來，外公的血又厚又稠，像蜂蜜一樣……

外公不見了。

媽媽殺完最後一口豬。

我問媽媽：「他是我的爹嗎？」

媽媽怔了怔，然後她那柄彎彎的長刀用力捅進了豬腹，還在刀柄上打了一拳，然後平靜地說：「他不是。」

「哪我的爹呢？」

媽媽臉上綻開了比太陽還要溫暖的微笑。她把我抱起來，用茸茸的嘴巴觸著我的臉，說：「你的爹是個漂亮的大漢子，他有兩隻大眼睛，一嘴黑鬍碴子，一頭好頭髮，背著大刀，刀把上拴著紅纓子，騎著一匹大紅馬，馬鐙裡塞著他一雙大脚……」

我的爹有一雙大脚。

總有一天，我也會長出一雙大脚。

豐饒的黑土地

◉莫言

我

一九五六年三月，我出生在山東省高密縣一個農民家庭。母親生過八個孩子，我是最後一個。那時候，農村衛生條件極差，尚未實行新法接生，嬰兒的死亡率極高，能活下來的孩子都是生命力比較旺盛的。母親生我時，奶奶到大街上掃來一簸箕土墊在母親身下，我是落土而生，正好暗合著中國古典哲學裡「萬物土中生」的理論。

現在回想童年時期，如同遠遠地看著霧中的田野，於一片朦朧混沌之中，看到陽光洞穿迷霧，展現出一點點淒涼的綠草。我記得的第一件事情是一九五八年去公共食堂吃飯時，不愼打破了家裡唯一的現代化設備——一把熱水瓶，竹殼的。我知道闖下了大禍，鑽進草垛裡，一天沒敢露面。成千上萬的螞蟻咬著我，我也不敢出來。後來，我聽到母親帶著哭腔的呼喚，才鑽出草垛。母親隻字沒提我打碎熱水瓶的事。後來我才知道，爲了這把熱水瓶，母親在祖父祖母面前賠了多少不是。

父親是極其嚴厲方正的人，對妻子兒女向來不苟言笑。我們兄妹對父親非常敬畏，只要父親在場，大家都變成啞巴，戰戰兢兢，汗不敢出。父親只要狠狠地瞪我一眼，我的小便就失禁。父親也有溫柔的一面，他的鑽石般珍貴的父愛的每一次施捨，都令我終生難以忘卻。一次是我三歲時，父親用剃頭刀子給我剃頭，先抹了我滿腦袋肥皀沫子，肥皀沫子浸痛了我的眼，我閉著眼亂叫，也許是憨態可掬吧？父親笑了，拍了一下我的屁股，說：「小牛犢子！」

祖父祖母都是善良勤勞的農民，對我們這群孫子孫女的愛很不平均，我嫿嫿的幾個孩子出生後，我更像一個小狗小貓，委委屈屈地活著。爺爺帶我去遼闊的荒草甸子裡割過草，他不識字，但能唱大量的戲文。在寂寞得連鳥兒都不願叫的草甸子裡，螞蚱飛行時的聲音震耳欲聾。爺爺常常在這種時刻抖開蒼涼的嗓子唱一句諸如「一匹馬踏破了鐵甲連環」之類的戲文。那時候我覺得爺爺的歌唱上達蒼天。

我在本村讀小學，讀到五年級「文化大革命」爆發。即輟學。十一歲至十七歲，我是一個眞正的農民，起初以放牛割草爲業，後漸入成人圈子，擔當起成年男人的繁重勞動。十七歲時，托叔父的面子，我進了一家工廠當臨時工。二十歲時，我離開了那塊生我養我、我既深深地愛著又深深地恨著的黑土地。

深深愛著又深深恨著的黑土地

我同意不幸的童年是作家的搖籃的說法，固然我知道並不是所有的作家都有不幸的童年，也不是所有童年不幸的人都能成爲作家。我認爲文學實際上是作家們首先爲自己然後爲他人編織的夢境。童年是多夢的年代，作家們在編織夢境的過程中，恐怕無法不去追憶那些逝去的夢，那些殘破的夢。我已經寫出來的小說，多多少少都有些自我的感情經歷在內。我寫這些小說的時候，就像唱著一支憂傷的歌曲，到處尋找失落的家園。在尋找時，我發現一己的歷史既構成宇宙的歷史又淹沒在宇宙的歷史裡。自我歷史是那樣相對的渺小，又是那樣相對的博大。我不想把自我放在宇宙背景下，而想把自我放到一個小小的社會圈子裡，使一個個體獲得某種放大效果，並記錄這種放大效果，使後人們研究先人的感情運動軌迹時，獲得一具較爲鮮活的標本。

我也認爲一個作家不能過多地咀嚼自己的痛苦，而應把嘴巴和牙齒伸向更爲深廣的人民的痛苦；跳出個人感情的泥淖，把愛普及人類。任何一個大作家都是這樣的。不是大作家甚至不是作家也要這樣要求自己。

我覺得一個作家就是一棵樹。是有生命的樹不是塑料樹。所以，尋找適合自己生長的土壤是至關重要的事情。中國文學界風行的「尋根」運動我不反對，誰願尋誰就尋。我只想尋找自己的土壤。找到我的土壤我就扎根，趕快扎，往深裡扎，扎得盤根錯節，等候八方來風。

我想把根扎在故鄉那片黑土裡。那片黑土對庄稼的種子來說是貧瘠的，對感情的種子來說是肥沃的。那片黑土從有人類文化時就存在著，在人類文化不滅亡時它也不滅亡。在那片黑土上已經埋葬了多少肉體和思想，當然還在繁衍著肉體和思想。這是一條源遠流長的黑土的河流，每一個波浪裡都有豐富的營養，我自然要拚命汲取，拚命生長。

埋葬在黑土裡，也是一種幸福。

【作家專訪】

莫言

——曾經的太陽，現在的月亮

◉高翊峰

究竟，莫言的那雙眼，看見什麼世界文學風景？在與莫言碰面前一天的颱風雨夜，心底想試圖探看的，只有這個。

為了探看世界，必須透過取巧的險路：翻譯。大陸在八〇年代，有過一次高潮，大量引進卡夫卡、海明威、福克納等大師，較台灣晚了十多餘年，但對西方文學技巧的認識，依舊震撼。九〇年代中，雲南人民出版社翻譯了波赫士《作家們的作家》、馬奎斯《兩百年的孤獨》、卡彭鐵爾《小說是一種需要》、《科塔薩爾論科塔薩爾》、《波赫士與薩瓦托對談》……這一系列拉美文學爆炸的經典，推動塑造了莫言、余華、蘇童、閻連科、殘雪等等，一批現代主義作家的風格原型。千禧年後，因互聯網，對岸的翻譯工程，快速得令人恐怖與憂慮。奧罕・帕慕克，一獲諾獎，幾個月內，他的重要長篇，幾乎同步翻譯完成，彷彿全集。《我的名字叫紅》造成幾十萬冊熱賣，挑逗大陸的文學環境。異於常態地，美國短篇小說家瑞蒙・卡佛的《大教堂》、《自選集》、《當我們討論愛情》等，也在大陸的閱讀市場引發關注與暢銷。

「這兩年，瑞蒙・卡佛也大行其道。他被年輕一代推得很高。這類針對卡佛的翻譯，是堅守文學意念的翻譯，翻譯卡佛的短篇小說，是把文學當作理想的事……」八〇年代的中國作家，都從寫短篇開始，中篇小說也長期依附於文學雜誌的刊登發表。像西方文壇，以短篇集出版姿態，出現大規模的影響與模仿，甚至形成美學理論，在中國未曾發生。「這是一大批年輕小子們拱出來的。有一幫子文學青年，對卡佛高度推崇。他（卡佛）是從文學圈內先紅起來，再漫到圈外去。未來，短篇小說集，能否造成一股潮流，很難預料。我想，我會再多寫一些短篇，看能否為這樣的風潮，起推波助瀾的幫助。」

這些世界小說，透過國際的桂冠光纖，優先被選中，進入華文翻譯與出版。英語系的曼布克獎、法語系的龔固爾文學獎……經常是翻譯選書基準。這是地球級作家彼此之間的攻城掠地。透過翻譯的板塊推移，透過大江健三郎，莫言一個大步邁向日本，也跨向亞洲之外的英德法語文世界。

目前，華文世界最具影響力的紅樓夢獎，莫言是第二屆得主，也是第三屆的決審委員。紅樓夢獎能否成為華文的諾獎？莫言覺得還需要更多時間。時間一直是文字存活的必然食養。如果將該兩年內翻譯成中文出版的作品，一起納入，如同那些世界語系文學獎的條件，能否加速紅樓夢獎的板塊推擠？莫言給了一個難說的說法，「兩年內，在大陸、台灣、香港、馬來西亞領域內的華文出版品，何止千萬本。在這些小說裡選出六部，或再多幾部進入決審，已不容易。初評標準是根據小說的影響力？還是出版社推薦？這其中已經有遺珠之嫌。再把翻譯書加入，更難訂定標準。當然，翻譯作品是否也屬於漢語創作，一直有爭議……這次駱以軍得獎，是天時地利人和。前兩屆都是大陸農村作品，如果再一次又是大陸作家，或是農村題材得獎，會出現重心偏移。所有終評委都沒有明說，也沒有被要求說明，但我感覺每個人心中都有一種傾向，要把眼光放到大陸以外的華文作品。這次入圍決審的大陸作品，也很好，不過相對《西夏旅館》，份量相對有點不足。李永平很可惜，我在評審時，也對《大河盡頭》說了力挺的分析。因為他的下部曲，當時還沒寫完（未出版），如果上下兩部同時推出，很有可能，紅樓夢獎的得主，就是姓李不姓駱了。這其實就是一個遺憾……」這是文學獎機制造成的遺憾，但更遺憾的提問是：需要多久的等待，《西夏旅館》、《大河盡頭》這等鉅著，才能出現世界語文的翻譯，走出這座海峽孤島？

莫言這批黃金陣線的作家，是中國文學走向世界文學的先頭部隊。只不過，文革，造就了中國一個斷代的公式化寫作，「帶著鮮明階級立場的小說，沒有站在人的高度來創作，也沒有強烈的批判精神，是沒有價值的……」七九年之後，一批中國作家對創作環境的不滿足，慢慢改變了。但這樣一批斷代文革小說，讓西方帶著鮮明的政治色彩來看中國文學。近二十年來，西方選書、翻譯、閱讀的出版人與讀者，都以想要了解中國的政治狀況來選擇中國文學，一直落後到近年，西方才開始以文學之眼來探索中國文學，這則是另一層次的遺憾……「西方評論家，對中國的閱讀是很有限的。西方出版社，在翻譯中國作品上，更是狹窄。在中國，哪本書一受到官方批評，西方馬上就會翻譯。受到官方批評或禁止出版，是受到西方翻譯的捷徑。台灣應該沒有這樣的問題。假以時日吧，華文創作會是世界文學的重要成分，但確實，我們還沒有寫出馬奎斯、托爾斯泰那樣偉大的作品。」

不只中國，主流的世界文壇，都帶著邊陲之眼，看待殖民地與次殖民地文學。在亞洲，目前就屬日本，以「美麗」的川端康成與「曖昧」的大江健三郎，摘下的諾獎桂冠。近年，村上春樹也以「世界共通的青春共鳴姿態」，逐漸介入殿堂小名單。那麼以經濟力手刃泡沫世界的中國呢？高行健又存在什麼訊號？大江健三郎力薦的下一位中國諾獎得主，小說家莫言，又踩著哪種狐步……「如果在中國，我會拒絕回答這類的問題，但這裡是台灣……不管高行健是中國人還是法國人，他都是以華文來思考與創作小說、詩與劇本。因為他在國外的生活背景，讓他更快融入西方世界，得獎，是對華文創作的正面肯定……」這是流亡式的侵入，也或許，以非主流語系發聲的小說家詩人，都偷偷思考著——如何諾獎症候群、怎樣桂冠政治明確？

二〇〇九年，村上春樹獲頒耶路撒冷文學獎。同時，以色列空襲迦薩，日本內外出現希望他不前往領獎的聲浪。村上最後決定前往，發表了〈永遠站在雞蛋的那方〉，引起世界人權人士的震撼與討論。如果是莫言呢？短暫沉思後，他選擇前往，但擱著的是另一個故事，「……也許我會講兩隻羊過獨木橋的故事吧。

在大陸小學課本就有這個故事。以色列與整個阿拉伯世界的對立問題，現在很難判斷是非對錯。這個矛盾不是一件事引發，有幾千年的歷史。以色列的飛機把黎巴嫩轟炸得斷牆倒壁，人民斷手斷腳；黎巴嫩也在以色列商店放個炸彈，一樣是頭斷流血，也十分可憐。敵對的雙手上都是對方的血，究竟誰是雞蛋？以色列的軍力確實比較精良，但黎巴嫩並不是雞蛋，它可能變成炸彈。兩邊，誰都不是雞蛋。這時需要妥協，就是要退讓。在過河的獨木橋上，哪一方先退後，那一方就是偉大的退讓……」

最後，我們聊到莫言多年前發表過的文章〈兩座炙熱的高爐〉，說明寫作者應該遠離馬奎斯、福克納這些大師，才不至於被熔化。但要擺脫，何其容易。現在，無數評論依舊將莫言的小說，冠以魔幻寫實之技，以及那郵票大小的地標「高密東北鄉」的荒誕歷史重塑。名為莫言的那座高爐呢？那一年，他受邀前往日本參加國際筆會，得知馬奎斯也會前往，「我想與偶像大師見面時，有話可聊，我花了一個星期，把《百年孤寂》從頭讀過一遍。以前讀，都是看一段就放下來，然後再看。當年看《百年孤寂》，就像抬頭看太陽，眼睛馬上被灼傷，睜都睜不開。我瞬間就被震住。現在，馬奎斯不再是太陽，變成了月亮。我仰望它，可以欣賞它的美，也可以看見月亮裡的陰影。」大師的代表作，也不是完美的，許多世界文學經典作品，仍有值得商榷處……這才是現在莫言這座高爐放眼看見的世界風景。

——本文曾刊於二〇一〇年十二月號《聯合文學》

注：因兩岸簡體繁體翻譯不同，訪談席間提及的外國書名、作家名，已改為台灣慣用的稱謂。

高翊峰

小說家，現任《FHM》總編輯，曾任《COSMOPOLITAN》、《GQ》雜誌副總編輯。出版有《家，這個牢籠》、《肉身蛾》、《傷疤引子》、《奔馳在美麗的光裡》、《一公克的憂傷》、《幻艙》等作品。

國家圖書館出版品預行編目資料

傳奇莫言 / 莫言著. -- 二版. -- 臺北市 :
聯合文學, 2012.10
208面 ; 14.8x21公分. -- (聯合文叢 ; 546)

ISBN 978-986-323-012-0(平裝)

857.63 101021282

聯合文叢 546

傳奇莫言

作　　者／莫　言
發 行 人／張寶琴

總 編 輯／王聰威
叢書主編／羅珊珊
責任編輯／余淑宜
資深美編／戴榮芝
美術編輯／趙文雄
校　　對／黃俊裕　陳惠君

法律顧問／理律法律事務所
陳長文律師、蔣大中律師

出 版 者／聯合文學出版社有限公司
地　　址／臺北市基隆路一段178號10樓
電　　話／(02) 27666759轉5107
傳　　真／(02) 27567914
郵撥帳號／17623526 聯合文學出版社有限公司
登 記 證／行政院新聞局局版臺業字第6109號
網　　址／http://unitas.udngroup.com.tw
E-mail:unitas@udngroup.com.tw

印 刷 廠／鴻霖印刷傳媒股份有限公司
總 經 銷／聯合發行股份有限公司
地　　址／231新北市新店區寶橋路235巷6弄6號2樓
電　　話／(02) 29178022

出版日期／1998年11月　初版
2012年10月　二版
2012年10月20日　二版三刷
定　　價／260元

Published by Unitas Publishing Co., Ltd.

Printed in Taiwan

ISBN 978-986-323-012-0（平裝）